ホセ・ルイスの戦車模型の作り方

Part 3 現用戦車

《模型製作・解説》ホセ＝ルイス・ロペス＝ルイス
Modeling & Description by Jose Luis Lopez Ruiz

JN069698

MODERN TANKS of The World

最初に

20世紀は、しばしば"争乱の世紀"と呼ばれます。第一次大戦、第二次大戦といった世界規模の戦争、そしてその後も大きな戦争から局地的な紛争まで世界の至るところで頻繁に勃発（その数125以上！）しています。人々が世界平和を目指した21世紀においても相変わらず、紛争等は減っていません。

特に最新のウクライナ情勢などは、対岸の火事とは思えません。私が住むスペイン、マドリッドはヨーロッパでは南西部に位置しますが、その街からウクライナの首都キエフまでは3500kmしか離れていないのです。紛争がない平和な暮らし中で、趣味としての模型作りを楽しむというのが、我々モデラーにとっては理想的なライフスタイルなのですが……。

本書について

『Part 1:第二次大戦戦車』『Part 2: 冷戦時代の戦車』と続き、本書Part 3では、冷戦以降20世紀末期から現在までの主力戦車にスポットを当ててみました。

最新のロシア戦車T-14アルマータなどを除けば、現用戦車の大半は、多かれ少なかれ1970年代～1980年代のデザインをベースとし、その時代の脅威、運用シナリオなどに対応できるように新技術を導入して設計され、量産と並

行しつつ、改良、発展して来ています。

冷戦時代の末期、1979年から部隊運用が始まったドイツ（当時は西ドイツ）のレオパルト2、ほぼ同時期の1980年から部隊配備を開始したアメリカのM1エイブラムスは、その代表格と言えるでしょう。両車両ともに登場当初から火力、装甲防御力、機動力のすべてにおいて世界最高性能を有し、絶え間ない改良によって今なお西側を代表する主力戦車として君臨しています。

当然の事ながら本書の製作に際して、この2車種は外せません。前者は現在の主力型レオパルト2A6をチョイスし、珍しい市街地迷彩車両に。後者は最新型のM1A2 SEP V2をサンドカラー塗装に仕上げました。

現用戦車を語る際に、イスラエルのメルカバも外せないでしょう。メルカバも前2車種と同じ頃に登場した戦車ですが、その設計コンセプトは前述の2車種と異なっており、それはデザインを見れば一目瞭然です。それゆえ戦車模型コレクションの一つとしても魅力的なアイテムと言えます。同戦車もMk.1～Mk.4へと絶えず発展、進化してきていますが、本書では、メルカバ戦車の主な戦闘任務が対戦車戦から市街

戦へと移り、同戦車の外見が大きく変貌を遂げることになったMk.2Dを選択しました。

そして最後に選んだのは、日本の最新AFV、16式機動戦闘車です。同車両は、厳密に言えば戦車ではなく、装輪式の戦闘車両ですが、歩兵（普通科隊員）の支援の他に戦車と同様の運用も行なわれるので、最新戦車の1例として選んでいます。

これまでのPart 1、Part 2と同様に本書も組み立てから塗装＆ウェザリング、仕上げに至るまで、"ステップ・バイ・ステップ"で各工程ごとに数多くの写真によって詳しく、なおかつわかりやすく解説しています。

《日本の読者の皆さんへ》

本書では、塗料を始め、各種のウェザリング専用液／専用剤類、模型工作用具などは、私が住んでいるスペインで入手が容易なものを使用しています。

しかし、本書とまったく同じものを使用する必要はありません。タミヤやGSIクレオスの各種製品、さらに日本の代理店が取り扱っている輸入商品など、日本国内で入手が容易なもの、あるいは常日頃使い慣れたものを使用することをおすすめします。

ホセ＝ルイス・ロペス＝ルイス
Jose Luis Lopez Ruiz

CONTENTS

現用アメリカ軍AFVのサンドカラー単色塗装を再現する

M1A2 SEP V2 ABRAMS

アメリカ軍戦車
M1A2 SEP V2 エイブラムス

オリーブドラブ単色塗装だったアメリカ軍車両も1970年代にはMERDCと呼ばれる4色迷彩が施されるようになる。さらに1980年代半ばにはNATO軍規格の3色迷彩が新たに採用され、以後米軍車両の制式塗装となった。その一方で1990年の湾岸戦争を皮切りにイラク、アフガニスタンなど中東地域で活動することが多くなった米軍海外派遣部隊ではサンドカラー単色塗装（デザート塗装）が標準化しており、今では現用米軍車両＝サンドカラーの方がイメージが強い。ここで紹介する塗装＆ウェザリング技法は、M1A2以外の米軍車両のみならず、他国車両のサンドカラー塗装にも適用できる。

M1A2 SEP V2 エイブラムス（品番RFM5029）
●ライフィールドモデル 1/35　●6710円、発売中　●プラスチックキット

M1エイブラムス戦車とは？

　アメリカ軍の主力戦車M1に与えられた"エイブラムス"という名称は、第二次大戦時に第37機甲大隊指揮官として名を馳せ、後に大将にまで上り詰めたクレイトン・エイブラムスの名を冠したものです。エイブラムス将軍は、南北戦争時北軍を指揮したユリシーズ・シンプソン・グラント将軍以来、もっとも偉大なアメリカ軍

の将軍と言われており、"世界最高の戦車部隊指揮官"、"生粋の軍人"として高く評価され、親しみを込めて"エイブ"将軍とも呼ばれています。
　アメリカは、1960年代半ばからM60主力戦車に替わる次世代戦車として西ドイツと共同で開発していたMBT-70が計画中止となったため、新たなMBTとしてM1エイブラムスを開発、1980年から部隊配備を開始します。M1は、湾岸戦争で実戦デビューを飾り、その

後、イラク、アフガニスタンでの戦場でも運用されました。当初はアメリカ陸軍のみでしたが、後に海兵隊にも配備されています。
　M1は、これまでに搭載砲を始め、装甲、搭載機器などの変更および改良が絶えず実施され、大きく分けるとM1、M1A1、M1A2へと発展しています。1980年の部隊配備当初はM1と呼ばれていましたが、1985年からは主砲をラインメタル製120mm滑腔砲に換装し、火

力アップ、さらに装甲も強化したM1A1の部隊配備が始まり、今では車長用視察装置、新型電子機器、航法装置、C4Iシステムなどを搭載したM1A2が運用されています。

M1A2となってからも改良は続けられ、フォース21旅団以下戦場指揮システムに対応するSEP（System Enhancement Packge）と呼ばれるシステム拡張パッケージを装備したM1A2 SEPが登場。さらに最近は、RWSの追加や各部をアップグレードさせたM1A2 SEP V2の運用も開始されており、現在、さらなる改良型M1A3も開発中です。アメリカ軍では、今後2050年代までM1エイブラムスを運用する予定と言われています。

M1エイブラムス最新バージョンを作る

作例は、ライフィールドモデルから2019年にリリースされた1/35のM1A2 SEP V2エイブラムス（品番RFM5029）を使用しています。このキットは、非常によくできています。その分、パーツ構成はかなり複雑なので、製作時には組み立て説明書をよく見ながら、注意深く作業を進めていきましょう。キットは3種類のタイプの中から1種類を選択できるようになっているので、どのパーツを使用すれば良いのかなどの確認が大事。使用パーツを間違えることがないように、組み立て説明書内の必要な選択パーツ（あるいは不必要なパーツ）に印を付けておくことをおすすめします。

キットは、細かなパーツ構成に加え、エッチングパーツも同梱されており、ディテールの再現性は高く、さらに表面の滑り止めモールドなどの仕上がりも良好です。キットのパーツのみの使用で充分な完成品ができますが、作例では、小さな取っ手や固定具などのみ銅線を使って、作り替えています。

現用米軍のサンドカラー塗装を再現

現用アメリカ軍車両の塗装といえば、最近はNATO 3色迷彩よりもサンドカラー単色の方をよく目にします。ここでは、サンドカラー塗装のM1A2 SEP V2の再現方法を解説していきます。

塗装する前に、まずプライマー（サーフェイサー）を吹き、模型表面の仕上がりや傷などをチェックしておきましょう。基本塗装には、アモMIGを使用。プレシェーディングを行なった後、明暗色調変化を付けながらサンドカラーを塗布していきました。

組み立て時の各部の工作方法や塗装とウェザリングのやり方は、写真を交えながら各工程ごとに詳しく解説していきます。

組み立て／工作のポイント

基本的な工作

戦車模型の組み立てにおいて、ポイントとなる足周りは、特に難しいところもなく作業は容易。

砲身は左右パーツ接着後、接合部の隙間を埋め、整形処理をしっかりと。模型完成後、砲身は意外と目立つ箇所だ。

エッチングパーツの接着には専用の接着剤を使用。すぐに固着させたい場合は瞬間接着剤を、接着後に位置決めを行ないたい場合には、硬化時間が遅いタイプを使用すると良い。

エッチングパーツの接着

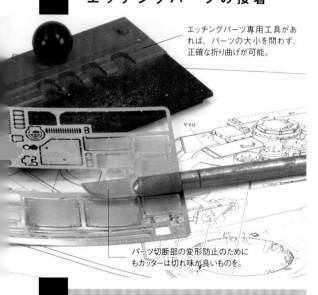

エッチングパーツ専用工具があれば、パーツの大小を問わず、正確な折り曲げが可能。

パーツ切断部の変形防止のためにもカッターは切れ味が良いものを。

エッチングパーツの切り出しにはカッターを使用。また、パーツの折り曲げ加工には専用工具があると便利。

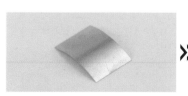

①切り出したエッチングパーツは、プラパーツと同様にバリ取り、ペーパー掛けなどの整形を行なう。

②平坦なパーツ（写真はCIP＝戦闘時の敵味方識別パネル）が曲がってしまったら、適度な棒を前後に滑らせて、曲がりを直す。

③平に直したエッチングパーツ。塗料や接着剤が付きやすくするために裏表面を軽くペーパー掛けしておこう。

④接着にはアモMIGのウルトラグルーを使用。同接着剤は硬化時間が遅いので、接着後の位置変更も可能。乾くまではマスキングテープなどで固定しておく。

組み立て時にパテを使った整形処理は必須

これが突き出しピンの跡。

パーツには、インジェクション成形に必要な突き出しピンの跡が残っている場合がよくある。

①突き出しピン跡の凹みにパテ（タミヤのベーシックパテなど）を盛り付ける。

②パテが完全に乾いたら、ペーパー掛けして平に整形する。

ディテールアップを行なう

パーツの厚みが気になったり、一体成形によりディテール再現性に不満な箇所は、プラバンなどを使って作り直す。

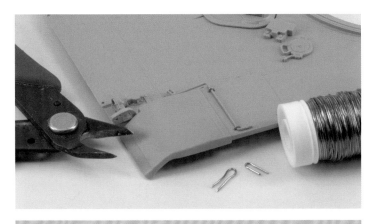

車体各部の固定具や取っ手などは金属線（作例は曲げ加工が容易な銅線）を使って、作り直すと良い。

組み立て完了！

組み立てを終えたライフィールドモデルのM1A2 SEP V2。近年のキットは、ディテール再現性が非常に高く、キットのパーツのみを使って、そのままストレートに組み立てれば、充分な完成品を作ることができる。このキットも例外ではない。ただし、選択パーツなどパーツ点数が多いので、製作時には組み立て説明書をしっかりチェックしよう。
キットには、エッチングパーツも同梱されているので、箱の中のパーツのみで充分な完成品となるが、作例では取っ手や固定具などのみ銅線を使ってディテールアップ。

泥汚れの下地を作る

塗装前に車体下部や足周りに泥汚れを付けた。泥汚れ表現には、アモMIGアクリルマッドのマッディ・グランド（品番A.MIG-2105)を使用。
適度に混ぜた後、平筆（使い古した筆が良い）に泥を付け、車体下部や足周りに塗り付けていく。この後に塗装するので、泥の色味は何でも良い。

作例は冬のポーランドで活動するサンドカラー塗装の実車写真を参考に泥汚れを表現した。

サイドスカート上部も泥が付着しやすい箇所。泥の付き方が不自然にならないように充分に注意しよう。

塗装とウェザリング

〔工程 1〕塗装前の作業

①エッチングパーツや銅線など、金属製のパーツ部分には塗料の食い付きをよくするためのメタルプライマーを塗る。

②模型全体にサーフェイサー（プライマーともいう）を塗布する。サーフェイサーが乾いた後、表面の傷やゴミの付着などをチェックし、綺麗に整形しておく。

〔工程 2〕車体下部と足周りの塗装

車体下部と足周りの塗装には、アモMIGのアクリル塗料を使用。アース（A.MIG-073）をベースとし、RAL7021ドゥンケルグラウ（A.MIG-0008）、シーブルー（A.MIG-0227）を少量混ぜて暗色を作製。エアブラシを使って、同色を車体下部と足周りに塗布した。
使用塗料は、タミヤのアクリル塗料やGSIクレオスのMr.カラーでも良いことは、言うまでもない。

泥付けしたところまで充分に色を塗布しておく。

〔工程 3〕 プレシェーディングを施す

シェーディング色

COLD EFFECT

サンドカラーの基本色となる色
(A.MIG-0025に近い色)

基本塗装にはアモMIGのシーブルー
(A.MIG-0227)、イエロー(A.MIG-048)、
RAL7028ドゥンケルゲルプ(A.MIG-010)、
デザートサンド(A.MIG-029)を調色した塗料を
使用した。

①まず、エアブラシを使って、アモMIGのシーブルー(A.MIG-0227)とRAL7021ドゥンケルグラウ
(A.MIG-0008)の混色を各部のエッジやパネルライン、凹モールド、ディテール周辺に塗布する。

2度目のシェーディングを施した車体。

最初のシェーディングのままの砲塔。

最初のシェーディング色。

2度目のシェーディング色。

②さらにエアブラシを使って、最初の暗色に暗めにサンドカラーを混ぜた色を塗布し、2度目のシェーディングを施す。

下地のシェーディングが薄く残るように最初の基本色を塗布する。

〔工程 4〕 基本色に変化を付ける

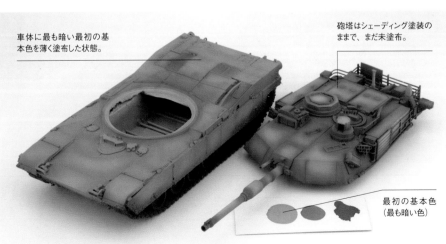

車体に最も暗い最初の基本色を薄く塗布した状態。

砲塔はシェーディング塗装のままで、まだ未塗布。

最初の基本色
(最も暗い色)

①最も暗く調色した基本色(サンドカラー)
を作製し、エアブラシで全体に薄く塗布(前
工程のシェーディングが薄っすらと残るよう
な感じ)する。
左写真を見れば、塗装の段階と各色の色
調がわかるはず。右上の写真は車体、砲
塔ともに最初の基本色を塗布した状態。

②2番目に暗く調色した基本色を全体に塗布する。ここでも前工程の明暗色調の違いを薄っすらと残すような感じで薄く塗料を吹き付ける。

2番目に暗い基本色を薄く塗布した車体。

この工程で使用した2番目に暗い基本色。

砲塔はまだ未塗布で、前工程のまま。

③メインとなる基本色（A.MIG-0025のFS33446 US現用車両色に極めて近い色）を調色し、エアブラシを使って、模型全体に薄く塗布する。

これがメインとなる基本色。

各パネルの中央付近にハイライトを入れる。

各部の上部付近も明るくする。

④基本色に明色を混ぜ、少し明るい色調にした塗料を各部の上部や各パネルの上面中央付近、エッジ部分に吹き、ハイライトを入れる。

ハイライトとして使用した色。

さらに明るい色を追加し、ハイライトを強調。

⑤前工程よりもさらに明るくした色を作り、もっと明るくしたい箇所にハイライトを追加していく。

最も明るくしたハイライト色。

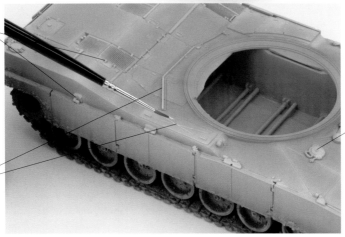

ハイライトを入れる箇所1
ヒンジなど小さな突起物の上部

⑥エアブラシでは表現できない小さなディテール上面には、細筆を使ってピンポイントでハイライト色を入れていく。

ハイライトを入れる箇所3
小ハッチ、小パネルの上面

ハイライトを入れる箇所2
凸モールドの上面

ディテール、小さな突起物などはピンポイントで明るくする。

基本塗装を終えた状態

実車のM1戦車のサンドカラーはFS33446という塗色が使われている。アモMIGの塗料で言うとA.MIG-0025がずばりその色に該当するが、作例では微妙な色調変化を表現するために数種の塗料を調色した。
基本色の塗装には、入手しやすいタミヤのアクリル塗料やGSIクレオスMr.カラーを使っても可能であることは言うまでもない。

2段階のハイライトを入れた箇所。

〔工程5〕ディテールの塗装

まず、砲塔左右前面のCIP（戦闘時敵味方識別パネル）から。実車写真では、この部分が錆色になっている車両も見られる。そこで、アモMIGの錆色カラー、ミディアムルスト（A.MIG-040）を使用。
パネル周囲をマスキングし、エアブラシで同色を塗布した。

砲塔側面のCIPは、アモMIGのFS33446 USモダンビークルス（A.MIG-0025）にFS24087 USオリーブドラブ（A.MIG-081）を数滴加えた色を使用。
ここもパネル周囲に色が付かないようにマスキングテープを貼った後にエアブラシで塗布している。

車体後面の排気グリル周囲をマスキングし、同グリルにアモMIGのマットブラック（A.MIG-046）を吹き付け塗装する。この色はあくまでベース色で、後に錆汚れを加える（20ページ参照）。

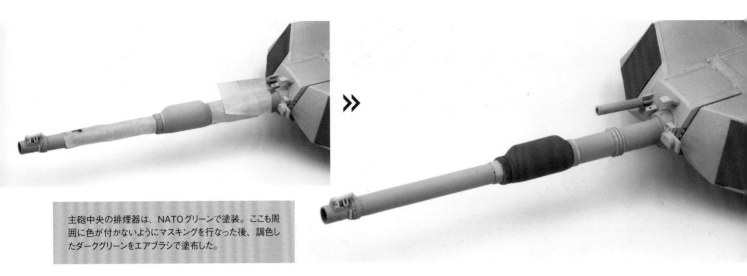

主砲中央の排煙器は、NATOグリーンで塗装。ここも周囲に色が付かないようにマスキングを行なった後、調色したダークグリーンをエアブラシで塗布した。

細部の塗り分けが完了!

製作時に参考にした資料本。M1に関する資料本は数多く発刊されているので、自分なりに役立ちそうなものを選ぶと良い。

模型製作時には、資料を用意しておこう。細部の塗装は、組み立て説明書の指示だけではわかりづらい。実車写真を見れば、使用色がわかるだけでなく、退色や汚れ(錆や色落ち)具合なども知ることができる。

〔工程 6〕チッピングを施す

ここで注意したいのは、現用の戦車と第二次大戦時の戦車では、当時の塗料の品質、戦場での運用期間の長さなどの理由によりチッピングの表現が異なるということ。さらに材質の違いによってもその表現方法を変える必要がある。チッピング(塗料剥がれ、錆や露出した金属地肌)やスクラッチ(擦り傷)の表現にも資料本などに掲載された実車写真が非常に役に立つ。
①まず、フェンダー部分の塗料剥がれを表現する。実車のフェンダーはスチールではなくアルミニウムなので、ここは錆色ではなく、アルミ色を使用。アモMIGメタルカラーのシルバー(A.MIG-195)を細筆に付け、フェンダーのエッジ部分などに塗った。

②車体やサイドスカートなど装甲板部分のチッピング（塗料が剥がれて下地の金属地肌が露出した表現）には、アモMIGのチッピング（A.MIG-0044）を使用。細筆とスポンジの小片を併用し、チッピングの表現に変化を付ける（36、57 ～ 58、79 ～ 80ページ参照）。

③M2重機関銃RWSの質感表現は、アモMIGの「ドライブラシュペイント」のガンメタル（A.MIG-0622）とライトメタル（A.MIG-0621）を毛先の粗い筆に付けてドライブラシにて表現。

④チッピングは、毛先が異なる筆やスポンジなどを使って色の付け方法を変える。また、再現場所によって使用色も変えること。

M2重機関銃などメタル色の部分は、メタル系の塗料を使って、ドライブラシ。

細かな点状のチッピングは、スポンジで塗料を点付けする。

大きなチッピングやエッジ部分などは細筆でチッピング色を入れる。

アルミニウム地の部分には、シルバーでチッピング。

〔工程 7〕 ウォッシングを行なう

次はウォッシング（スミ入れ）。この技法によってディテールを引き立たせ、さらに薄っすらとした汚しを加えることができる。この作業には、アモMIGのウォッシング専用液USモダンビークルス・ウオッシュ（A.MIG-1007）を使用。
①まず、砲塔から。同塗料をシンナーで50％希釈し、それを筆に浸し、ディテールの周囲、パネルライン、凹んだ箇所などに薄く流し込む。

②次は車体。同様に凹んだ部分や奥まった箇所、さらにヒンジやボルトなどディテールの周囲、パネルの周囲などにウォッシング塗料を流し込んでいく。
③色付けが終わったら、乾くまで待つ。

ウォッシングを終えた状態

ウォッシングによって、突起箇所やディテールの周囲にスミが入り、ディテールが強調される。

奥まった隅やパネルラインもウォッシングによって、明暗のコントラストが付く。

ウォッシング塗料を上から下に拭き取ることによって、筋状の汚れを表現することも可能。

④ウォッシング塗料が乾いたら、シンナーを浸した筆や綿棒などを使って余分な箇所の塗料を拭き取る。
⑤その際、拭き取りながら、汚し表現も並行して行なう。こうしたウォッシング作業には、入手容易なタミヤの「スミ入れ塗料」もおすすめ。

〔工程 8〕 デカールを貼り付ける

戦車に限らず、プラモデルではデカール貼りも必須作業である（37ページを参照）。
①必要なデカールをシートから切り出す。
②さらに余白部分を慎重にカットする。
③デカールを貼る際には、専用のデカール定着剤を使って、密着させる。
作例では、アモMIGのデカール定着剤を使っているが、タミヤやGSIクレオスの同種製品でも構わない。

〔工程 9〕 積荷パーツの塗装

使用するパーツ部分。

不要な部分は切除する。

作例では、レジェンドの「M1戦車積荷セット」を始め、ブラストモデルズ、プロアートモデルズ、リアンモデルズのレジン製パーツを使用した。
①レジン製パーツには離型剤が付着しているので、使用前にしっかりと洗浄しておくこと。
②さらに不要部分の切除、ペーパー掛けやパテによる整形処理が必要なパーツもある。

作例ではレジン製パーツをヤスリ掛けすると、こんなに削りカスが。吸い込むと体に良くないので、マスク着用のこと。

③小物パーツが設置場所にフィットするかをチェックする。

④作例の場合は、荷物ラックに収まらないので、パーツを削って、設置場所にフィットするように加工した。
レジンの削りカスを吸い込まないように作業中はマスク着用のこと。

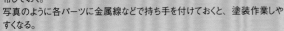

⑤パーツの加工や整形などが完了したら、パーツ全体にサーフェイサーを塗布しておく。
写真のように各パーツに金属線などで持ち手を付けておくと、塗装作業やすくなる。

サーフェイサーはライトグレーのタイプを使用。バッグなどの塗装には、筆者自身が考案した"B&W"テクニックを使用した。

⑥まず黒に近いダークグレーを全体に塗布する。

⑦次に若干明るくしたダークグレーを薄く塗布。この際、凹んだところや窪みに前工程の暗色が薄っすらと残るような感じで吹く。

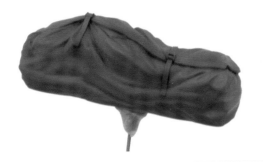

⑧さらに明るく調色したダークグレーを同様に薄く吹き付けていく。

⑨ライトグレーを部分的に薄く塗布してハイライトを入れる。

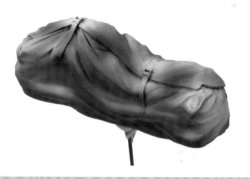

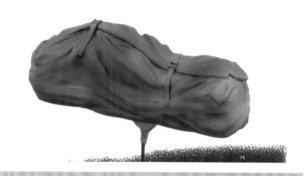

⑩さらに明るく調色したライトグレー（白に近い）をハイライト部分に塗布する。

⑪ダークグレー〜ライトグレーで明暗変化を付けた下地色を生かしながら、カーキ色を薄く吹く。

⑫バックパックは"ピクセル迷彩"にした。まず全体にライトサンド色を塗布する。

⑬細筆を使って、ダークグリーンの迷彩模様を描く。

⑭さらにライトグリーンの迷彩を追加する。

⑮仕上げとしてマットバーニッシュ（つや消しコート）を吹いて完全に艶を消す。
塗り終えた布製バッグ類。こうした小物もリアルに見せるには、明暗色調変化や影付けが大事。

〔工程10〕積荷を自作する

①キャンバスシートやタープ、ベルト類はエポキシパテで自作。タルカムパウダーをまぶしたマットの上で練り合わせたパテを平に伸ばす。

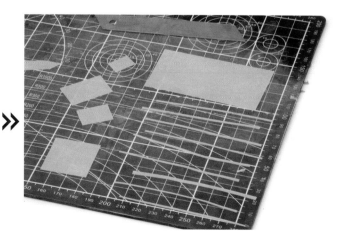

②1/35スケールに適した薄さに伸ばしたら、自作したいシート、タープ、ベルトなどのサイズにカットする。

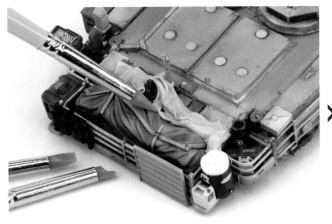

③数分経ったら、パテ製シートを模型に乗せ、ラバーペンなどで形を付ける。

④積荷を固定するストラップ、ベルト類もラックに巻き、形を付けていく。

⑤パテ製シートやベルトが不自然な形になっていたり、隙間が生じていないかをチェックする。

⑥パテが完全に乾いたら、これらもバッグ類と同様の方法で塗装する。

〔工程11〕油彩によるフィルタリング

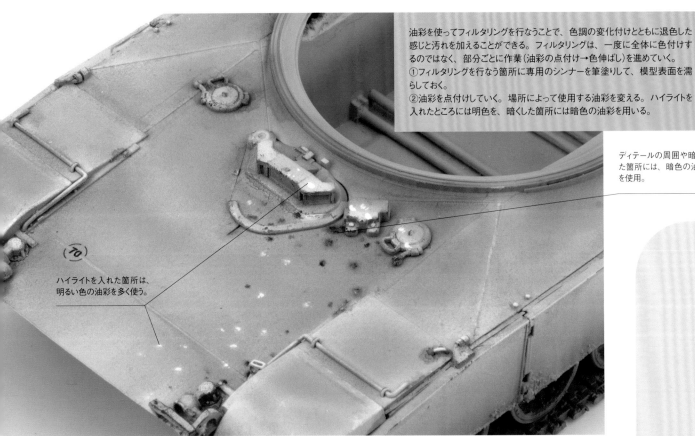

油彩を使ってフィルタリングを行なうことで、色調の変化付けとともに退色した感じと汚れを加えることができる。フィルタリングは、一度に全体に色付けするのではなく、部分ごとに作業（油彩の点付け→色伸ばし）を進めていく。
①フィルタリングを行なう箇所に専用のシンナーを筆塗りして、模型表面を濡らしておく。
②油彩を点付けしていく。場所によって使用する油彩を変える。ハイライトを入れたところには明色を、暗くした箇所には暗色の油彩を用いる。

ディテールの周囲や暗くした箇所には、暗色の油彩を使用。

ハイライトを入れた箇所は、明るい色の油彩を多く使う。

最初のフィルタリングを終えた箇所。

影になる箇所は暗色の油彩を使用。

明るくする箇所は、明色の油彩を多く使用する。

③色付けしてから数分経ったら、専用のシンナーを浸した平筆を使って、油彩の色が薄っすらと残るような感じで油彩を伸ばしていく。
④最初の箇所のフィルタリングが終わったら、次の箇所に油彩を付けていき、同様の方法でフィルタリングを行なう。

〔工程 １２〕 錆 を 表 現 す る

パネル周囲をマスキングしておく。

チッピング・フルーイドを塗布。

チッピング・フルーイドが乾いた後、ライトルストを塗装。

CIPの錆びた状態は"ヘアスプレー"技法を使って、再現した。
①周囲に塗料が付かないようにパネル周囲をマスキングする。
②"ヘアスプレー"技法を簡単に行なえるアモMIGの塗料剥がし専用液「チッピング・フルーイド」(A.MIG-2011)をパネル表面に塗る。
③チッピング・フルーイドが乾いた後、アモMIGのライトルスト(A.MIG-039)を使って錆色を斑状に塗布する。

④錆色が乾いたら、先が尖った用具や爪楊枝、毛先が硬い筆などを使って、上塗りした錆色塗料を剥がして、錆びた感じを表現していく。

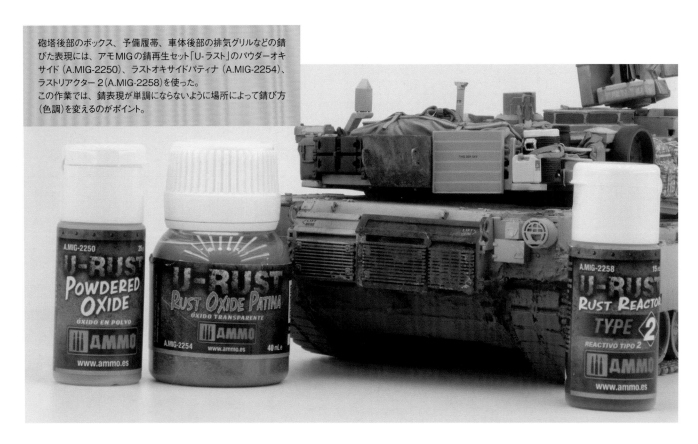

砲塔後部のボックス、予備履帯、車体後部の排気グリルなどの錆びた表現には、アモMIGの錆再生セット「U-ラスト」のパウダーオキサイド（A.MIG-2250）、ラストオキサイドパティナ（A.MIG-2254）、ラストリアクター2（A.MIG-2258）を使った。
この作業では、錆表現が単調にならないように場所によって錆び方（色調）を変えるのがポイント。

〔工程 13〕 泥汚れを加える

車体下部と足周りの状態。当初行なった下地の泥付けと基本塗装のままである。

①転輪ゴムリム部分にダークグレーを細吹きする。後に汚しを追加するので、マスキングを行なわずにダークグレーを塗布している。

②次に基本塗装の初期工程で使用した泥色をベースに少量のマッドカラーやブラックを加えた色を車体下部、サイドスカート下部、転輪、起動輪などに薄く吹き付ける。

20

サイドスカート側面などに飛び散った
泥汚れはダンプアースで表現。

湿った泥は、ウェットグランドで表現した。

③さらに自然な感じの泥汚れを再現するためにアモMIGのエナメル系泥汚れ再現液「スプラッシュ」を使用。ウェットグランド（A.MIG-1755）で転輪に付着した湿った泥、ダンプアース（A.MIG-1754）でサイドスカート側面などに飛び散った泥汚れを表現する。
平筆にスプラッシュ液を付け、エアブラシの空気圧や筆先を爪楊枝などで弾いて塗料をスプラッシュ（飛散させ）してサイドスカートや転輪に泥を付着させる。

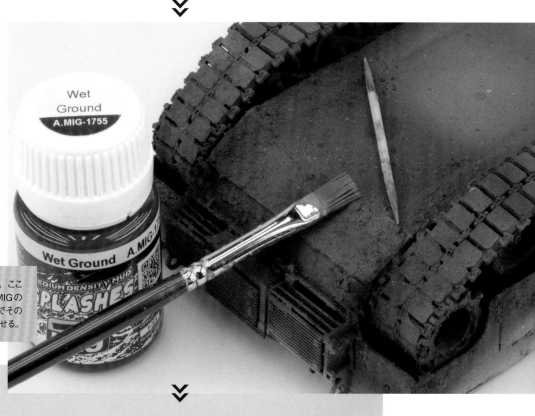

④車体下部や履帯にも泥汚れを付ける。ここでも"スプラッシュ"技法を使用。アモMIGのウェットグランドを平筆に浸し、爪楊枝でその筆先を弾いて塗料を飛ばし、泥を付着させる。

部分的に付着したばかりの
湿った泥を表現する。

⑤最後に泥が付着して間もない箇所や湿った泥が付着した箇所にアモMIGのコーティング剤「ラッキーバーニッシュ・グロッシー」を塗布して仕上げる。

〔工程14〕付着した雪を表現

作例では、冬のポーランドで活動するアメリカ軍車両の実車写真を参考に、車体に付着した雪も表現。①アモMIGのスノービンダー（A.MIG-2082）とパウダースノー（A.MIG-2080）を混ぜて雪を作製した。

②湿った感じの雪（溶け掛かった雪）にするため、さらにラッキーバーニッシュ・グロッキーも混ぜ合わせた。

③作製した雪を筆に取り、車体に付着させていく。

④付着させた雪が乾いた後、仕上がり具合をチェックし、さらに湿った（溶け掛かった）感じが必要な場合は、ラッキーバーニッシュ・グロッシーを塗るなど、リタッチする。

完成したアメリカ陸軍 M1A2 SEP V2

積荷の多さは、アメリカ戦車らしく見せる一つの方法。積荷のような小物パーツ一つ一つの仕上がりが完成後の見栄えアップにつながる。

基本的な塗装＆ウェザリングのみならず、CIP（敵味方識別パネル）の錆びた感じや付着した雪などを表現することで、運用期間の長さや活動地の天候なども表現できる。

車体下部や足周りの泥汚れは、基本塗装前と最終工程の2度に渡り実施した。降雪時を想定して、泥の付き方、色調（乾いた泥、付着したばかりの湿った泥など）にも注意したい。

積もった雪も泥汚れと同様に、付着の仕方、その場所、艶（溶け掛かっている感じ）など、自然な感じに仕上げるのがポイント。

車体後面には錆や跳ね上げた泥汚れなどを施している。起動輪内側付近にこびり付いた泥汚れの質感表現に注目してほしい。

完成模型をリアルに見せるには、実車写真をじっくり観察すること。車体各部の色調、各部の塗色、地勢や天候に応じた汚れ方、さらに車載装備や積荷など……、想像するより、実車写真を参考にした方が製作イメージを掴みやすい。

レオパルト2の市街地迷彩を再現する

LEOPARD
2A6

ドイツ陸軍戦車
—— レオパルト 2A6 ——

ドイツ連邦軍では、現在、レオパルト2の最新型A7Vの部隊配備が進められているが、数の上では同軍のMBTは依然レオパルト2A6である。レオパルト2A6を始め、ドイツ連邦軍車両の標準塗装は、ダークグリーン、ダークブラウン、ブラックのNATO軍3色迷彩だが、2018年春には試験的に市街地用の迷彩（アーバン・カモフラージュ）を施したレオパルト2A5が登場している。ここでは、同市街地迷彩を施した主力型A6を再現してみた。配色は異なれど、市街地迷彩は他のヨーロッパ諸国の車両にも見られる。

レオパルド2A5／A6（品番BT002）
●ボーダーモデル1/35 ●8250円、発売中 ●プラスチックキット

レオパルト2戦車とは？

　西ドイツは、1963年にアメリカと共同でKPz.70（米軍名称MBT-70）の開発を決定し、翌年から開発作業を開始しました。当時はまだレオパルト1でさえ、試作車両のテストが始まったばかりでした。最新技術を導入したKPz.70は高い性能を有していましたが、高コス

トなどの問題により1969年に西ドイツは同戦車の開発中止を決定しました。

　それ以前の1967年に西ドイツ軍から要請を受けたポルシェ社において既にレオパルト1の性能向上型の開発が始まっており、いくつかの試作戦車開発を経て、1971年にレオパルト2の開発が正式に決定します。装備などの仕様が異なる何両もの試作車両の開発およ

びテストの末、制式採用が決定し、1979年から部隊配備が始まります。

　レオパルト2は生産バッチごとに改良が加えられ、レオパルト2A0からA4へと性能が向上していきました。そして1990年代初頭にさらに大幅な改良計画KWSがスタートします。砲塔前面／側面前部に楔形増加装甲を追加し、防御力を強化させるとともに車長用視察装置

にも改良を加えたレオパルト2A5が製造（既存のA4を改修）され、1995年から部隊配備を開始。さらにA5をベースとし、主砲のラインメタル社製120mm滑腔砲を44口径から55口径に換装、併せて新型砲弾を導入し、火力強化を図ったA6が2001～2006年にかけて造られました（全車A5からの改修）。

レオパルト2A6は、火力、防御力、機動力の総合的な性能でライバルの米国M1A2エイブラムス、英国チャレンジャー2、仏国ルクレールよりも優れていると評価されています。それを示す一例として2018年6月3～8日に開催された戦車競技会"ストロング・ヨーロッパ・タンク・チャレンジ"では、ドイツ連邦軍第3戦車大隊のレオパルト2A6が優勝、2位はスウェーデン陸軍スカラボリ連隊Wartofta中隊のStridsvagn 122（レオパルト2A5同国仕様）、3位はオーストリア陸軍第14戦車大隊第6中隊のレオパルト2A4といった具合に上位をレオ

パルト2が独占しています。

1/35スケールのレオパルト2A6を作る

レオパルト2A6は人気アイテムゆえ、各社から数多くのキットが発売されていますが、作例は、ボーダーモデル1/35を使用しました。このキットは、細かなパーツ構成で、各部のディテールに至るまでよく再現されていますが、いろいろ問題が多く、組み立ては楽ではありません。もっとも大きな問題は、組み立て説明書の指示がわかりづらく、正誤表が付属しているにもかかわらず、部品の組み立て、取り付け位置などに間違った箇所が見られることです。例えば、砲塔部分は図面が曖昧なために組み立てるのが難しく、特徴的なスモークディスチャージャーの取り付け角度を決めるのが面倒です。また、選択パーツの指示も適切ではありません。

組み立てる上でそのような問題はありますが、

ディテールの再現度、パーツのフィッティングの良さなど、キットそのものの完成度は非常に高く、市場に数あるレオパルト2A5／A6のキットの中でもベストキットの一つであることは間違いありません。

特徴的な市街地迷彩を再現する

現用ドイツ連邦軍車両といえば、ダークグリーン、ダークブラウン、ブラックのNATO軍3色迷彩が一般的ですが、2018年に試験的に市街地迷彩を施した珍しい車両が公開されています。同迷彩を施した実車はレオパルト2A5ですが、ここではA6を使って、再現しました。

各色のコントラストが強く、幾何学的な迷彩パターンの市街地迷彩は、模型でリアルに再現するのが難しい塗装の一つです。それでは、塗装とウェザリング方法を作業工程ごとに解説していきましょう。

組み立て／工作のポイント

連結式履帯の組み立て

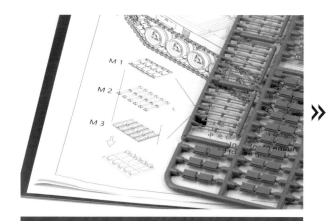

最近のキットでは、履帯はプラスチック製の連結式が当たり前になっている。組み立ては面倒だが、リアルに再現できる優れものだ。

①現用のダブルピン式履帯ともなると、パーツ点数も多くなり、切り出しが面倒だが、一つ一つバリ取りや目立つ箇所のペーパー掛けは行なっておきたい。

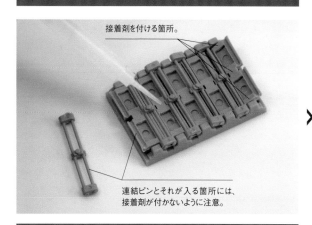

接着剤を付ける箇所。

連結ピンとそれが入る箇所には、接着剤が付かないように注意。

②可動式として組みたい場合は、接着剤は周囲に流れ込まないように点付けで。

③キットの履帯は可動式タイプなので、連結ピン部分に接着剤が付かないように注意しよう。同じ連結式でも可動式の方が、張りや弛み具合を調整できるので、車体下部に装着しやすい。

エッチングパーツの加工

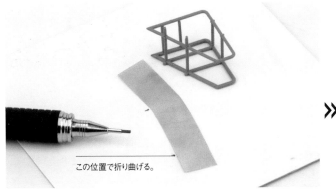

この位置で折り曲げる。

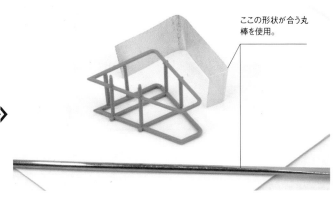

ここの形状が合う丸棒を使用。

①曲げ加工が必要なエッチングパーツは、どの位置を曲げるか印を付けておく。

②曲げる部分の形状（径）に合う丸棒にパーツを押し当てて曲げる。

取っ手などの作り替え

取っ手のモールドを切除した箇所。

モールドを切除する際は、周囲のプラ表面やモールドを傷付けないように慎重に。

①車体後部上面に一体成形された取っ手のモールドをニッパーやカッターで切除する。
②カット跡はペーパーを掛け、きれいに整形しておく。

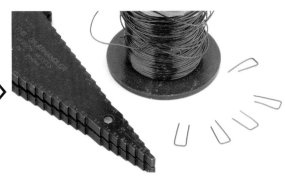

③取っ手の形状に曲げ加工した0.4mm径銅線をカット。長さは元のモールドに合わせ、高さは差し込み部分も考慮して長めにしておく。

④穴を開ける位置に印を付ける。

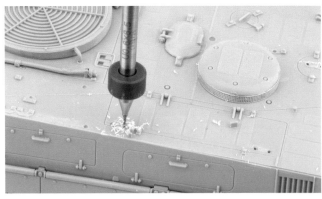

⑤ピンバイスのドリルを使って穴を開けていく。穴の径は、使用する銅線よりほんのわずか大きく。

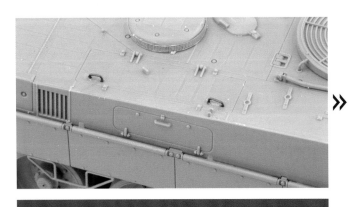

⑥銅線で自作した取っ手を取り付け穴に差し込み、瞬間接着剤で固定。すべて均一な高さになるように注意すること。

⑦砲塔後部、収納スペースの取っ手なども同様の方法で作り直した。

組み立てを終えたレオパルト2A6

レオパルト2は人気車両ゆえ、各社から数多くのキットが発売されているが、作例はボーダーモデル1/35を使用。このキットは、細かなパーツ構成で、各部のディテールに至るまでよく再現されており、レオパルト2A5／A6のキットの中ではベストキットの一つである。ただし、組み立て説明書の指示がわかりづらいのが難点といえる。

塗装とウェザリング

〔工程1〕サーフェイサーの塗布とプレシェーディング

①塗装を始める前に模型全体にサーフェイサー(ホワイト)を塗布する。
②サーフェイサーが乾いたら、模型表面にゴミやホコリなどが付着していないか、さらに傷や隙間、整形未処理の箇所が残っていないかをチェック。もし、それらを発見したら、この段階でペーパー掛けなどを行ない、表面をきれいにしておく。

③タミヤ・アクリル塗料のX-1ブラック、XF-72茶色(陸上自衛隊)を混ぜて暗めのダークブラウンを調色。エアブラシを使って、同塗料を車体下部、転輪の奥まで塗り残しがないようにしっかりと塗布する。

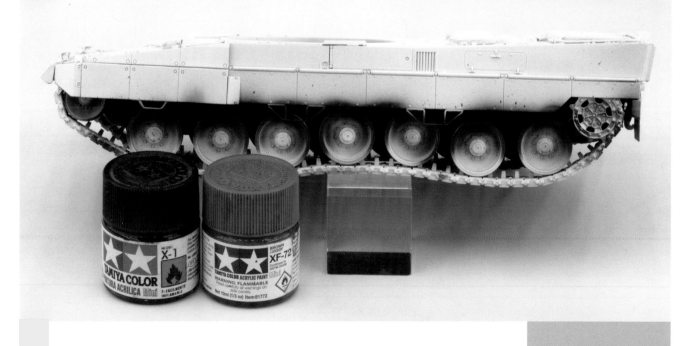

〔工程2〕市街地迷彩／ホワイト塗装

ドイツ軍が試験的にレオパルト2（実車はA5）に塗装した市街地迷彩は、RAL7050タルングラウ、RAL1039ザントベージュ、ホワイトの3色を用いており、塗装は直線のブロック状パターンとなっている。

まず、迷彩のホワイト塗装部分から仕上げていく。既に塗布しているホワイト・サーフェイサーをそのまま利用し、その上に"B&W"技法を使って、プレシェーディングを施していく。

①アモMIGのRAL7021ドゥンケルグラウ（A.MIG-008）とホワイトを混ぜ合わせ、明暗色調を変えたミディアムグレー〜ライトグレー数色を作製する。

②最初に車体側面のホワイト塗装（ホワイトを残す）部分にRAL7021ドゥンケルグラウをエアブラシで縦筋状に薄く吹く。

RAL7021ドゥンケルグラウを上から下に筋状に塗布する。

最初に使用したRAL7021ドゥンケルグラウ。

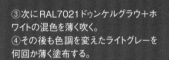

③次にRAL7021ドゥンケルグラウ＋ホワイトの混色を薄く吹く。

④その後も色調を変えたライトグレーを何回か薄く塗布する。

RAL7021ドゥンケルグラウ＋ホワイトを使用。

迷彩時にホワイト塗装部分になる箇所に表現した筋状の汚れ。

最後にホワイトを使用。

⑤最後にホワイトを薄く吹き、下地と筋模様のコントラストを抑える。

次は、ホワイト塗装水平面の汚し。
⑥この部分の表現には、アモMIGのエアブラシ用ステンシル・テクスチャーテンプレート（A.MIG-8035）を使った。

⑦ホワイト塗装する箇所にテクスチャーテンプレートを当て、前工程の②～⑤と同様の塗装を行なっていく。

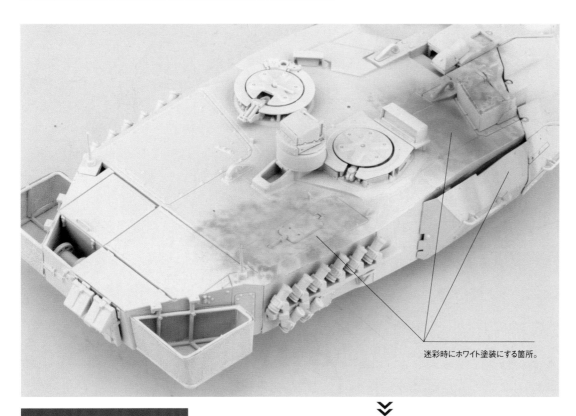

迷彩時にホワイト塗装にする箇所。

⑧砲塔上面のホワイト塗装部分にもテクスチャーテンプレートを使用。最初にダークグレーを塗布。

⑨ライトグレーを薄く塗布し、斑模様のコントラストを弱くする。色調を確認しながら、薄く吹いていくのがポイント。

⑩最後にホワイトを吹き付け、薄っすらと汚れが残るようにする。これまでの斑模様の色調変化が消えてしまわないように注意。

迷彩時にホワイト塗装になる箇所の色調変化と汚れ表現を終えたところ。ホワイト塗装は、とかく単調な色調になりがちなので、色調の変化付けは必要だが、汚し過ぎには注意しよう。

これでホワイト塗装部分の作業は完了！

〔工程 3〕 市街地迷彩 ／ RAL1039 ザントベージュ塗装

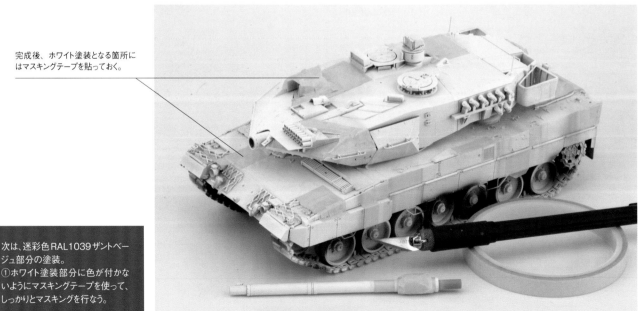

完成後、ホワイト塗装となる箇所にはマスキングテープを貼っておく。

次は、迷彩色 RAL1039 ザントベージュ部分の塗装。
①ホワイト塗装部分に色が付かないようにマスキングテープを使って、しっかりとマスキングを行なう。

②ザントベージュ塗装には、アモMIGの NATOブラウン（A.MIG-085）＋デザート サンド（A.MIG-0029）を混ぜたものを使 用し、エアブラシで塗布。
③ここもテクスチャーテンプレートを使っ て、暗色、明色に調色した塗料を薄く 吹き重ね、色調変化と汚しを表現。

調色したザントベージュを塗装した後、色調の変化と汚しを表現する。

④最後に明色を薄く塗布 し、ザントベージュ塗装部 分を仕上げる。

〔工程4〕市街地迷彩／RAL7050タルングラウ塗装

①次の迷彩色RAL7050タルングラ ウの塗装に入る前に、ザントベージュ 塗装部分をマスキングする。

②まず、ブラック＋ホワイトを混ぜて作製した
グレーを模型全体に塗布する。

③車体側面には、エアブラシを使っ
て、暗色～明色のグレーを縦筋状
に薄く吹いて汚しを付ける。

④水平面には、前工程の他色部
分と同様にテクスチャーテンプレート
を使って、色調を変えたグレーを薄
く塗布していく。

これでRAL7050タル
ングラウ塗装も完了。

市街地迷彩の基本塗装を終えた状態

RAL7050タルングラウ、RAL1039ザントベージュ、ホワイトの3色を用いた市街地迷彩の基本塗装が完了。この段階では各迷彩部分に明暗色による色調変化を施したのみ。この後に様々な技法を使って、ウェザリングを施していく。

〔工程5〕ハイライトを追加する

ディテールの上面にハイライトを入れる。

こうした小さな平面部分にもハイライトを追加。

既にエアブラシによるハイライト表現は行なっているが、ここでは直接各ディテールへのハイライト塗装を行なう。
ベース色より若干明るく調色した塗料を細筆に付け、ピンポイントでハイライトを入れていく。

ハイライトを入れる箇所はシムファイアーのチューブ上部やボルト、取っ手、ペリスコープカバー、ヒンジ、さらに細部の突起物などの上面である。

〔工程6〕 履帯の塗装

履帯の塗装には、アモMIGの塗料セット「タイヤズ＆トラックス」（A.MIG-7105）に入っているサテンブラック（A.MIG-032）、ラバー＆タイヤズ（A.MIG-033）、ラストトラック（A.MIG-034）、ダークトラック（A.MIG-035）、ダスト（A.MIG-072）、アース（A.MIG-073）の各色を使用。

アモMIGの塗料セット「タイヤズ＆トラックス」

履帯の塗装に使用した色。

履帯は部分的に色調を変えて塗装している。

〔工程7〕 チッピングを施す

チッピング（塗料が剥がれた跡の表現）には、アモMIGの塗料、チッピング（A.MIG-044）を使用。同塗料を細筆やスポンジの小片に付け、塗料剥がれを表現していく。

点状の小さなチッピングは、塗料を付けたスポンジの小片を点付けして表現する。

色をはっきり入れたい箇所や剥がれが大きな箇所は、細筆で描き込む。

エッジ部分のチッピングは、ドライブラシも併用。ドライブラシを行なう際には、塗料が付き過ぎないように、事前に紙シートなどで色の乗り具合を調整してから行なうこと。

36

この段階で一旦、ここまでの模型表面の塗装を保護するためにアモMIGのラッキーバーニッシュ・サテン（A.MIG-2052）を全体に塗布する。こうしておけば、この後のウェザリングで塗料の色落ちを防ぐことができる。
この作業では、日本で入手容易なGSIクレオスMr.カラーのスーパークリアーつや消しなどでも良い。

〔工程 8〕 デカールを貼る

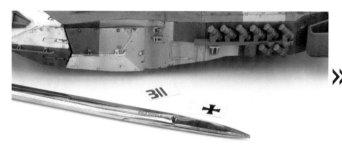

①キット付属のデカールシートから使用するデカールを切り出す。
②さらにデカール周囲の余白をカットしておく。

③デカールを張る箇所にデカール定着剤を塗る。
作例では、アモMIGのデカールセット（A.MIG-2029）を使っているが、もちろんタミヤのマークフィット（87102）やGSIクレオスのMr.マークソフター（MS231）でも同様の効果を得られる。

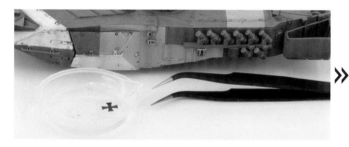

④デカールを水に浸す。
水に浸け過ぎるとノリが弱くなるので要注意。デカールによって水に浸けておく時間（分秒単位）が異なるので、使用しないデカールで前もって適切な時間を確認しておくと良い。デカールが破れやすいかどうかなどのチェックもできる。

⑤デカールを貼り付けたら、さらにデカール表面に軟化定着材を塗り、さらに密着させる。
作例は、アモMIGのデカールフィックス（A.MIG-2030）を使っているが、ここでもタミヤやGSIクレオスの製品の使用でOKだ。
⑥デカールが乾いたら、後のウォッシングでデカールが損傷しないように、デカールにサテンバーニッシュやつや消しクリアーなどを塗布し、デカールの表面をコートしておく。

〔工程 9〕 ウォッシングを行なう

ウォッシング（スミ入れ）は、パネルラインやディテールのモールドなどを引き立たせ、完成時の見栄えを良くするのにはかなり効果的な方法である。
ウォッシングではダークカラーのエナメル塗料を希釈して行なうのが一般的だが、最近は簡単に使える専用塗料がいろいろ発売されているので、それらの使用が便利。
作例では、アモMIGのウォッシング専用塗料「アクリルウォッシュ」のブラウンウォッシュ・フォー・ダークイエロー（A.MIG-0700）、トラックスウォッシュ（A.MIG-0702）、ブラウンウォッシュ・フォー・サンド（A.MIG-0707）、ダークウォッシュ（A.MIG-0708）、ナチュラルグレーウォッシュ（A.MIG-0710）、ダストウォッシュ（A.MIG-0713）を使っている。

①塗料を細筆に浸し、各部ディテールの周囲やパネルライン、凹み部分などに塗料を入れていく。
ここでのポイントは、ベース色や色調（暗色部分か、明色部分か）の違いに応じてウォッシングの色を変えること。写真はベース色がザントベージュなので、ブラウンウォッシュ・フォー・サンドなど明るめのウォッシング塗料を使用。

②平坦に見える機関室もパネルラインや凹凸のモールド、ヒンジや固定具などの小さな突起物が多いので、ウォッシングを行なうことでディテールやモールドが引き立って見える。
ベース色がグレーの箇所には、ダークウォッシュやナチュラルグレーウォッシュを混ぜたウォッシング塗料を使っている。

③奥行きがある機関室の吸気／排気グリルには暗めのウォッシング塗料、ダークウォッシュを使った。

④ウォッシング塗料が乾き始めたら、シンナーを浸した筆や綿棒を使って、余分なウォッシング液を拭き取っていく。
⑤その際の拭き取り方によって、軽い汚しや影付けなども行なうことができる。例えば、車体側面の場合、上から下に拭き取っていくことで、筋状の汚れを表現することができる。

上から下へ拭き取ることで、パネルラインへのスミ入れとともに縦筋状の汚れも表現できる。

⑥履帯のウォッシングには、その名もズバリ、ウォッシング塗料のトラックスを使用。ウォッシングにより履板のモールドやラバーパッドなどのディテールを引き立たせる。

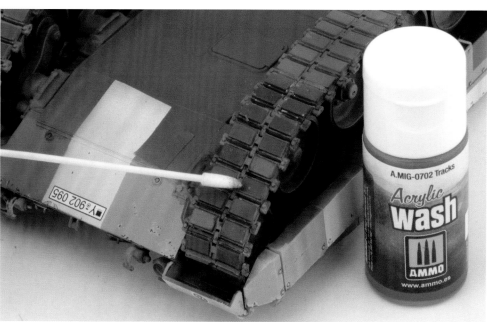

A.MIG-0702 Tracks
Acrylic
wash
AMMO
www.ammo.es

履帯のエンドコネクター

履帯の滑り止め

⑦車体前部に取り付けられた履帯の滑り止めやエンドコネクターなどは錆色のライトラストウォッシュ（A.MIG-1004）でウォッシングすることで錆びた感じを表現できる。

〔工程10〕車載工具／車外装備品の塗装

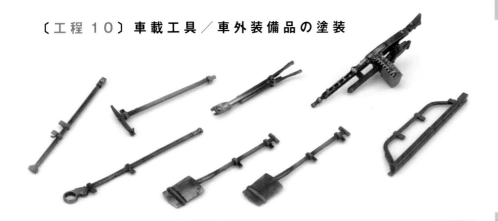

レオパルト2に限らず、ドイツ戦車は車載工具や車外装備品が多いことで知られる。こうした小物の塗装もドイツ戦車の模型製作では重要なポイントとなる。
写真のような小物パーツの場合、金属部分や木製部分の質感表現（色調変化やチッピング、さらに金属の擦れ、錆表現など）を行なう。

作例では、アモMIGの塗料セット「WWIIジャーマン・ツール・カラーズ」（A.MIG-7179）を使ったが、勿論GSIクレオスMr.カラーやタミヤ・カラーを使い慣れている方は、そちらの使用をおすすめする。

リアビューミラーの鏡面には、モロトフのリキッドクロームを使用。ガラス面／鏡面の表現は難しいポイントの一つ。

車載工具の接着には、ホワイトグルーを使用（点付け）。通常の接着剤だと車体の塗装面を汚す（塗料溶け、てかりなど）場合があるからだ。もし、そうなった場合は、固定具などの接着部分をリタッチ（塗装やピンウォッシング）すれば良い。

〔工程11〕ダスティング（土・砂などの汚れ）を施す

アモMIGのライトダスト（A.MIG-1401）に少量のアース（A.MIG-1403）を加えた塗料を使用。ダスティングは、一度に全体に対して施すのではなく、部分（各面）ごとに施工していこう。
①まずは車体前部から行なった。水で希釈したダストカラーを筆に浸し、土や砂が溜まりそうなディテール周囲や奥まった部分に塗料を流し込んでいく。

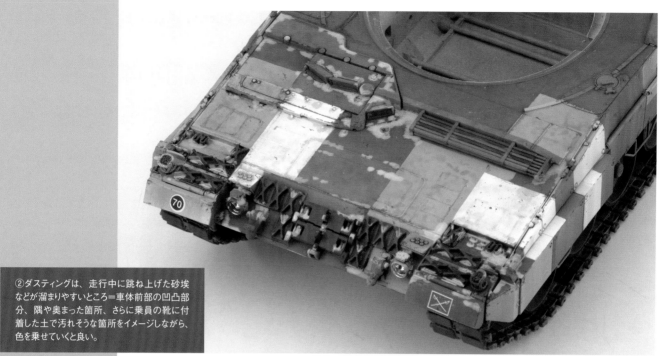

②ダスティングは、走行中に跳ね上げた砂埃
などが溜まりやすいところ＝車体前部の凹凸部
分、隅や奥まった箇所、さらに乗員の靴に付
着した土で汚れそうな箇所をイメージしながら、
色を乗せていくと良い。

↓

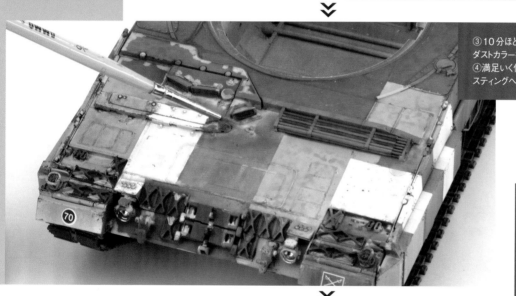

③10分ほど乾かせた後、筆を使って、余分な
ダストカラーを取り除く。
④満足いく仕上がりになったら、次の箇所のダ
スティングへと作業を進めよう。

ダスティングを終えた車体後部
の機関室。機関室は、小さな
凹凸が多く、砂埃が溜まりやす
い。さらに乗員、整備兵など
が頻繁に乗って作業するので、
彼らの靴に付着した土や砂に
よっても汚れている。

↓

〔工程12〕ドライブラシを行なう

ディテールや各部の凹凸を引き立たせる方法としてドライブラシも効果的である。ただし、やり過ぎると実感を損ねるので注意が必要。上写真はドライブラシを掛ける前の状態。

ドライブラシには、エナメル塗料などがよく用いられるが、ここではアモMIGの専用塗料「ドライブラシ・ペイント」のパンツァーグレー（A.MIG-0604）を使用。上写真は、毛先が粗い平筆に塗料を付け、燃料注入口ハッチにドライブラシしているところ。

ドライブラシを終えた状態

左上の写真（作業前）と見比べると、燃料注入口ハッチ付近のディテールがより鮮明になったことがわかる。

さらに転輪にもドライブラシを行なう。

ドライブラシによって転輪リムの縁、内側の固定ボルト、ハブキャップなどのディテールを引き立たせた。

〔工程13〕積荷を追加する

模型としての見栄えを考えたら、砲塔後部のバスケットには荷物を積みたい。"市街地迷彩"車両なので、それらしく見せるためにアフターマーケットのアクセサリーパーツの中から、ジェリカンや円筒形コンテナ、道路用コーンを選んでみた。

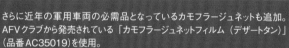

さらに近年の軍用車両の必需品となっているカモフラージュネットも追加。AFVクラブから発売されている「カモフラージュネットフィルム（デザートタン）」（品番AC35019）を使用。

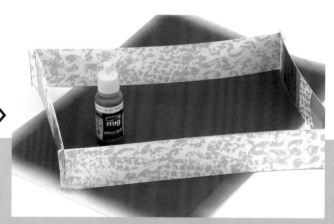

①ドイツ連邦軍はオリーブグリーンのカモフラージュネットを使用しているので、アモMIGのオリーブドラブ（A.MIG-926）を全体に塗布した。

②バスケットのサイズに合うようにカモフラージュネットをカットする。

③ホワイトグルーを部分的に点付けし、バスケットに装着した。

完成したドイツ連邦軍レオパルト2A6

2018年春、試験的に施された市街地用迷彩（アーバン・カモフラージュ）を施したレオパルト2を再現した。実車はレオパルト2A5だったが、ドイツ連邦軍主力型のA6に同迷彩を施してみた。こうして好きな車両を選ぶことができるのも模型ならではの楽しみ方の一つと言える。

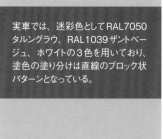

実車では、迷彩色としてRAL7050タルングラウ、RAL1039ザントベージュ、ホワイトの3色を用いており、塗色の塗り分けは直線のブロック状パターンとなっている。

市街地迷彩は、各色のコントラストが強く、迷彩パターンが短調なので、模型でリアルに再現するのは、なかなか難しい。それゆえ、色調の変化や汚し表現によってリアルに見せる。

砲塔は特に平坦な面積が広いので、短調に見えがち。ここはシェーディングやチッピング、ダスティングなどでいろいろと変化を付ける。

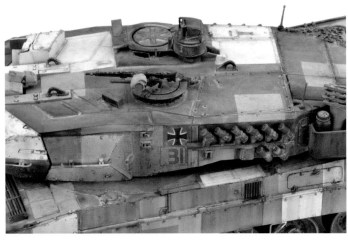

砲塔側面の国籍標識と車両ナンバーはデカールを使用。デカールを使用する場合は、シルバリング（フィルム表面の余白部分が白っぽくなる）を防ぎ、塗装面と艶を均一にすること、さらにデカール上にも汚しやチッピングを入れることが大事。

砲塔後部右側のバスケットには、近年の軍用車両の必需品となっているカモフラージュネットを積んでみた。最近は、こうしたアクセサリーパーツも充実しているので、完成品の見栄えアップのためにもいろいろ活用することをおすすめ。

機関室に取り付けた車載工具も完成品の見栄えを良くするポイントの一つ。金属と木製部分の質感を塗装＆ウェザリングでいかに上手く表現するかがポイントとなる。

"市街地迷彩" 車両なので、砲塔後部左側のバスケットには、それらしく見せるためにジェリカンや円筒形コンテナ、道路用コーンを載せている。

イスラエル国防軍のIDFシナイグレーをリアルに再現する

MERKAVA
MK.2D

イスラエル陸軍戦車
ーーーーー メルカバ Mk.2D ーーーーー

イスラエル国防軍の車両はIDFシナイグレーと呼ばれるサンド系カラーで塗装されている。一口にIDFシナイグレーといっても年代によって色調が異なり、さらに独特な色調ゆえ、同じ時期、同じ車種であっても撮影状況（天候、時間、光の明暗具合など）によって、実車写真からは正確な色調をなかなか掴みづらい。ここでは、メルカバ戦車が活動する1980年代後半以降のグレー色が強めのIDFシナイグレーを再現している。ここで紹介する塗装＆ウェザリング技法は、マガフ戦車など他のIDF車両にも適用可能だ。

メルカバMk.2D（品番TKO2133）
●タコム1/35　●7150円、発売中　●プラスチックキット

メルカバ戦車とは？

イスラエルおよびその周辺地域は、砂漠や丘陵からなり戦車の運用には非常に適した地形と言えます。メルカバ戦車は、1948年のイスラエル建国以来、周辺のアラブ諸国との度重なる戦争＝1948年、1956年、1967年、1973年の四度に渡る中東戦争などでの戦訓によって生まれたイスラエル国産の主力戦車です。

イスラエル技術者たちは、新型戦車メルカバの設計に際して、生存性をまず第一とし、次に火力、速度性能は二の次としました。メルカバは1978年から生産が始まり、翌1979年から部隊での運用が開始されます。最初の量産型メルカバMk.1に続き、1983年4月には改良型Mk.2の運用も開始。メルカバMk.2は主武装としてL7系105mm戦車砲、副武装としてFN MAG 7.62mm機関銃を装備しており、基本的にはMk.1とほとんど変わりませんが、前年のレバノン侵攻時の戦訓を反映させ、市街戦や低強度紛争に適応できるように砲塔に増加装甲を装着、砲塔外部装備だった60mm迫撃砲を再装填可能な砲塔内蔵方式

に変更されています。

Mk.2は、Mk.2A、Mk.2Bと絶えず改良が図られ、1990年代後期からは、砲塔全周にモジュール装甲（損傷を被っても容易に交換が可能）を追加し、より防御力を高めたMk.2Dも部隊配備されます。Mk.2以後もイスラエル国防軍は、メルカバの改良、発展型の開発を続け、現在では120mm戦車砲を搭載し、車体／砲塔ともに新設計となったMk.3、Mk.4が主力となっています。

イスラエルによる2006年のレバノン侵攻では、敵対するヒズボラが1000発以上の対戦車ミサイルを使用。イスラエル国防軍が投入したメルカバMk.2、Mk.3、Mk.4の内52両がヒズボラ側の対戦車ミサイルによって損傷を受け、その内22両は装甲まで貫通し、さらに5両は完全に破壊されたと言われています。イスラエル側の記録によると、イスラエル軍の戦車1両あたりの乗員損失数は、第4次中東戦争では2名だったのに対し、メルカバ配備以降の1982年のレバノン内戦では1.5名、2006年

のヒズボラとの戦いでは1名となっています。敵が用いる対戦車兵器の性能が年々向上しているにもかかわらず、乗員の損失は逆に減少していることは、メルカバの防御性能の高さの実証と言えるでしょう。

メルカバMk.2Dを作る

2020年にリリースされたタコム1/35のメルカバMk.2Dは、ディテールはシャープで、再現度が高く、パーツのフィッテングも良く、さらに組み立て説明書もわかりやすい、驚くほど良くできたキットです。ほぼ100%正確にメルカバMk.2Dを再現していると言っても過言ではありません。

キットの履帯は、組み立てが容易なプラスチック製の"リンク＆レングス"（連結された履帯と1枚履板で構成）タイプ。また、ディテールを精密に再現するためのエッチングパーツも付属しており、説明書に従って作業を進めていけば、誰もがまったく問題なく組み立てることができる

でしょう。

そのままストレートに組み立てても良いのですが、作例では、より戦車の表面仕上げをリアルに見せるためにVMSプロダクトの滑り止め表現剤「ハル・テックス」を使って、砲塔／車体上面のザラ付いた滑り止めを表現し直しています。

IDF車両の独特なサンドカラーを表現

塗装前には定石通り、プライマー（サーフェイサー）を吹き、模型表面の仕上がりや傷などをチェックしておきます。独特な色調の車体色IDFシナイグレーの再現には、アモMIGの「イスラエル国防軍カラーセット」を使用。明暗色調変化を付けながら同グレーを表現し、その後、チッピング、ダスティング、ウォッシング、各部の汚し表現などを行なっていきました。

組み立て時の工作方法および塗装とウェザリングの詳細については、写真を交えながら各工程ごとに詳しく解説していきましょう。

組み立て／工作のポイント

足周りの組み立て

プラスチック製の履帯は、組み立てが簡単な"リンク＆レングス"（部分的に連結された履帯と1枚履板で構成）式になっている。

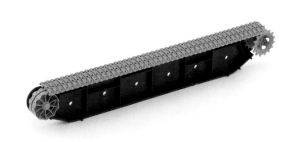

①作例では、履帯パーツで一番長い上部パーツを起点に組んで行った。黒いパーツは、キット付属の履帯組み立て用の治具。

②上部パーツに誘導輪と第1転輪、起動輪と第6転輪までの履帯を繋げる。

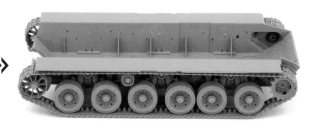

③最後に下部パーツを接着。接着剤が完全に乾く前なら、微調整可能だ。もし隙間が生じる場合は、フロントフェンダーとサイドスカートで隠れる箇所で調整する。

エッチングパーツの取り付け

① エッチングパーツを切り出す際は、変形防止のために硬いシートの上に置き、切れ味の良いカッターを用いる。写真のようなエッチングパーツ専用工具があると便利。

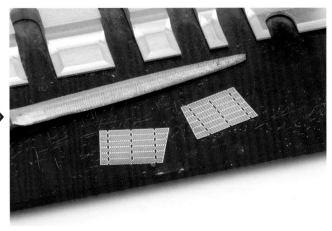

② 切り出したエッチングパーツはバリ取り、整形を行ない、さらに塗料や接着剤が付きやすくするために裏表面を軽くサンディングしておこう。

③ アモMIGのウルトラグルーを接着箇所に点付けする。同接着剤は硬化時間が遅いので、接着後の位置変更も可能である。

④ エッチングパーツを接着。一般的な瞬間接着剤を使用する場合は、接着後の位置変更が難しいので、接着前に仮り合わせしておく。

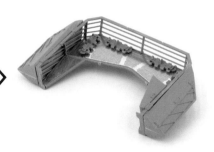

砲塔後部の荷物ラックにエッチング製の底板パーツを接着した状態。エッチングパーツの細かな穴やモールドが接着剤で埋まってしまわないように充分に注意しよう。

パテ埋め／ペーパー掛け

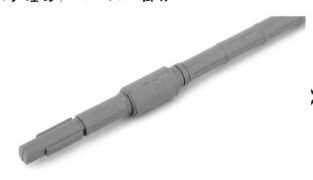

パテ埋めとペーパー掛けは、組み立て作業では基本中の基本。写真の砲身のようにパーツ接合部に隙間が生じた場合にはパテを使用する。

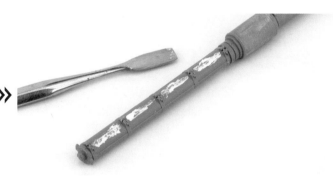

① 先細のヘラなどを使って、パーツの隙間にパテを塗っていく。この砲身パーツのように細かなモールドがある場合は、それらのモールドにパテが付かないように注意すること。

② パテが完全に乾いた後、ペーパーを掛けてパーツと面一に整形する。もし、パテにヒケ（凹み）が見られたら、再度パテ盛り→ペーパー掛けを繰り返し行なう。
ペーパー掛けを行なう場合も周囲のモールドを削ったり、傷付けないように注意が必要である。

組み立てが完了したメルカバMk.2D

タコム1/35のメルカバMk.2Dは、非常に良くできたキットで、ディテールの再現度は高く、パーツのフィッテングも問題ない。履帯は組み立てが容易なプラスチック製の"リンク&レングズ"タイプで、エッチングパーツも付属しており、説明書に従って作業を進めていけば、誰もが完璧なメルカバMk.2Dを組み立てることができる。作例で手を加えたところは、滑り止めモールドの追加と取っ手を銅線で作り替えたことくらい。

表面にモールドを追加する

最近の戦車は、乗員が乗降する際の安全のために車体および砲塔の上面や傾斜部分にザラ付いた滑り止め加工が施されているものが多い。メルカバも例外ではない。そこで、作例でもそれを再現することにした。
どういうやり方が良いのか? いろいろな素材を集めテストすることに。用意したのは、アモMIGの滑り止め表現剤「1/35スケール用アンチ・スリップ」のホワイト（A.MIG-2033）とブラック（A.MIG-2034）、VMSプロダクツの「ハル・テックス」各種、そしてタミヤの「情景テクスチャーペイント」砂ライトサンド（87110）などである。

《 まず、各種素材を使ったテストから 》

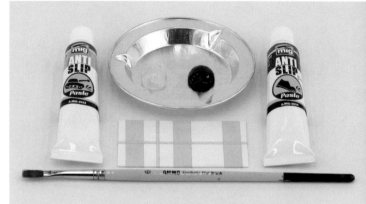

①最初にアモMIGの「1/35スケール用アンチ・スリップ」のホワイト（A.MIG-2033）とブラック（A.MIG-2034）から試してみる。

1/35スケール用アンチ・スリップを塗布。

アモMIGのリキッドマスクの点付け。

タミヤの情景テクスチャーペイントを塗布。

②「1/35スケール用アンチ・スリップ」のホワイトとブラックを混ぜたものをプラバンに塗ってみた。マスキングテープは、パネルラインや溶接ラインのマスキングも可能かを確認するため。

③次に滑り止めモールドの中に細かな未塗布部分も再現できるかをチェックするためにアモMIGのリキッドマスク（A.MIG-2032）をプラバンに点付けした。

④さらにタミヤの「情景テクスチャーペイント」砂ライトサンドもテストのためにプラバンに塗布してみる。

51

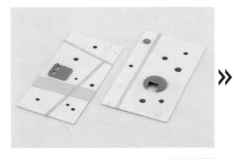

⑤平面のみならず、立体的な箇所への再現性も確認するために、不要パーツを接着したプラバンを用意。

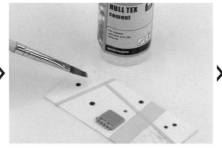

⑥次は、VMSプロダクトの「ハル・テックス」をテスト。最初にテスト用のプラパンに「ハル・テックス」セメント（接着剤）を塗る。

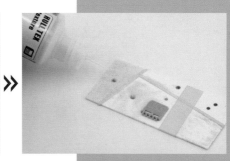

⑦その上に「ハル・テックス」テクスチャー（粉末）を全体に降り注いでいく。薄くまんべんなく表面を覆うようにする。

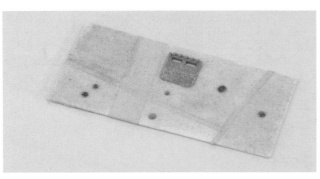

⑧接着剤が乾いて、テクスチャーが固着するのを待つ。

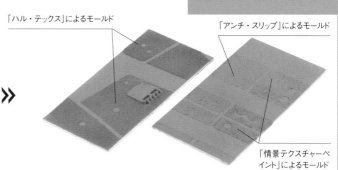

「ハル・テックス」によるモールド

「アンチ・スリップ」によるモールド

「情景テクスチャーペイント」によるモールド

⑨仕上がりをチェックするためにテストしたプラバンにサーフェイサーを塗布。

《 いざ本番、模型にモールドを施す 》

②次にマスキングテープを使って、パネルラインや溶接ラインのモールドを保護する。

こうしたディテールのモールドをしっかりと保護しておく。

各素材をテストした結果、「ハル・テックス」が滑り止めモールドの再現性が最も優れていることが判明したので、同製品を使うことに決定。
①まず、ボルトや取っ手、ヒンジなどのモールドを保護するためにアモMIGのリキッドマスクを塗っておく。GSIクレオスのMr.マスキングゾルなどでも同じ効果が得られる。

「ハル・テックス」には、エアブラシ用の「ハル・テックス・エア」という製品があるので、本番ではそちらを使った。
③滑り止めモールドを施す箇所に、「ハル・テックス・エア」セメントを塗っていく。余分な箇所に付かないようにするため、エアブラシではなく、平筆を使っている。

④エアブラシを使って、「ハル・テックス・エア」テクスチャーを塗布していく。不必要な箇所に付いても接着剤塗布面にしか固着しないので問題ない。

⑤不要な箇所に付いたテクスチャーは、綿棒などで擦り取る。

⑦全体にサーフェイサーを塗布して、仕上がり具合をチェックする。

⑥「ハル・テックス・エア」テクスチャーが完全に乾くのを待つ。
写真はネテクスチャーが乾いた状態。白くなるので、施工箇所が一目瞭然。

⑧付け過ぎた箇所や不必要な箇所があれば、毛先が硬い筆を使って、リタッチする。

塗装とウェザリング

〔工程 1〕IDF シナイグレーの下地塗装を行なう

メルカバ戦車の基本色IDFシナイグレーの塗装には、アモMIGの塗料セット「イスラエル国防軍カラーセット」(A.MIG-7163)のフェイデッドシナイグレー(A.MIG-066)、ライトサンドグレー(A.MIG-067)、IDFグリーン(A.MIG-068)、レッド(A.MIG-049)、リアルIDFシナイグレー'82(A.MIG-131)、リアルIDFサンドグレー'73(A.MIG-132)を使用。

最初にIDFシナイグレーの下地塗装を行なう
①ライトサンドグレーに微量のイエローを加えた塗料をベース色として全体に塗布する。

各部の上面や砲身上部を明るくした。

②ベース色にホワイトを少量加えた塗料を使って、明るくしたい部分に薄く塗布していく。

側面にも部分的に明色を塗布し変化を付けた。

③次にベース色に加えるイエローとホワイトの割合を多くした色を部分的に薄く吹き、サンドカラーの色調を濃くする。

サンドカラーの色調を部分的に濃くした。

④さらにベース色より若干色調を暗くした色を、エアブラシを使って、パネルラインやエッジ部分などに薄く細吹きする。
単色塗装の場合、写真のように何段階にも分けて、色調の変化を確認しながらハイライトや影付けを行なっていく。

色味が濃い部分がIDFグリーンを塗布した箇所。

エアブラシで暗色をパネルラインやエッジ部分などに薄く細吹きする。

⑤滑り止めモールドを施工した箇所にIDFグリーンを薄く塗布する。
これで、下地塗装が完了!

〔工程2〕ヘアスプレー"技法で基本塗装を仕上げる

下地塗装を生かすために"ヘアスプレー"技法を使って、基本塗装IDFシナイグレーを再現していく。この作業には"ヘアスプレー"技法を簡単に行なえるアモMIGの塗料剥がし専用液「チッピング・フルーイド」(A.MIG-2011)を使用した。
①チッピング・フルーイドを塗布しない箇所は、マスキングテープで保護しておく。

②エアブラシを使って、チッピング・フルーイドを塗布する。チッピング作業は一度に全体に行なわず、部分ごとに施工していくこと。

③チッピング・フルーイドが乾いたら、シンナーで希釈（40%くらい）したIDFグリーンをエアブラシで塗布する。

④塗布した塗料が乾いたら、爪楊枝などを使って、塗料剥がれを表現したい箇所の塗料を剥がしていく。

⑤車体前部の作業が終わったら、同様に車体側面の塗装剥がれも行なっていく。

基本塗装はこれで完了

"ヘアスプレー"技法による上塗り塗料のチッピングを終え、これでメルカバ戦車のIDFシナイグレーの基本塗装は完了。この後、汚し塗装などを行なう。

〔工程3〕ピンポイントでハイライトを追加

細筆を使って、取っ手やハンドルなどのディテールや突起物の上面、エッジの一部にベース色よりも明るいIDFシナイグレーを塗り、ハイライトを追加する。

こうしたディテールの上面にハイライトをピンポイントで追加する。

〔工程4〕チッピングを施す

現用戦車とはいえ、メルカバ戦車は実際に戦場で酷使されているので、チッピングは強めに施した。
①エッジや突起部分の角などのチッピングには、アモMIGの「ドライブラシ・ペイント」のチッピング（A.MIG-0618）を使用。毛先が粗い平筆に同塗料を付け、ドライブラシのやり方で色を付けている。
ドライブラシを行なう場合は、筆に付けた塗料を充分に落としておくこと。そして部分的に行ない、やり過ぎは禁物。

前工程で表現した塗料剥がれ（明色部分）の内側にチッピング色を入れると、よりリアルな感じ（深みがある傷）になる。

②複雑な形状のチッピングは、アモMIGのチッピング（A.MIG-044）を使用。細筆を使って、描き込む。

57

スポンジを使ったチッピング。

③点状の細かなチッピング表現は、スポンジの小片を使って、色を点付けしていく。
この場合もスポンジに付いた塗料を充分に落としてから行なうこと。

細筆を使ったチッピング。

〔工程 5〕 サイドスカート／足周りの塗装

サイドスカート下部のラバー部分の塗装には、アモMIGの塗料セット「タイヤズ＆トラックス」（A.MIG-7015）に入っているサテンブラック（A.MIG-032）とラバー＆タイヤズ（A.MIG-033）の混色を使用。
①色調が異なる数種の色を作り、部分ごとに色を変えて塗装した。

新たに塗装した車両側面下部のラバー部分に汚しを行なう。
②ラバー部分の周囲をマスキングする。
③アモMIGのステンシル・テクスチャーテンプレート（A.MIG-8035）を当て、エアブラシでアモMIG「シェイダー」のアッシュブラック（A.MIG-0858）やスターシップ・フィルス（A.MIG-0855）、ダート（A.MIG-0853）を薄く塗布して汚しを付加する。

④転輪のラバーリム部分
は、サイドスカートのラバー
と同じ塗料を使用。
⑤履帯の塗装は、「タイヤ
ズ＆トラックス」セットに入っ
ている履帯色、ラストトラッ
クス（A.MIG-034）とダーク
トラック（A.MIG-035）を使
用。それらを混ぜ、色調が
異なる色を用意し、履板に
よって塗色を変えている。

サイドスカート下部のラバー部
分にも汚しを施す。

転輪のラバーリムはサイドスカー
トのラバーと同様に塗装。

履帯の塗装に使用した塗色。

履帯はすべて同色ではなく、部
分的に履板の色調を変える。

〔工程6〕ディテールの塗装

《 車体後部の収納バスケット 》

① 収納バス
ケット（最初の
サンドカラーの
まま）後面板を
明るめの錆色
で塗装。

上面のキャン
バスカバーは、
"B&W" 技法
で塗装する。
②周囲に色が
付かないように
しっかりとマス
キングする。

③エアブラシ
を使って、最
初にフラットブ
ラックを塗布
する。

④次に凹んだ
部分に下地
のブラックが
薄っすらと残る
ような感じで、
ダークグレーを
薄く吹く。

⑤上面の凸
部分にハイラ
イトが入るよう
に明るいライト
グレーを薄く
塗布する。

⑥下地塗装
の "B&W" が
薄っすらと残
るような感じで
全体にカーキ
グリーンを薄く
吹き付ける。

⑦上面の固定ストラップはバフ+ホワイトで塗装。凹凸部分のアウトラインはダークカーキグリーンで描いている。

⑧後面板には"ヘアスプレー"技法を使用。錆色の下地の上にチッピング・フルーイドを吹き、その上にIDFシナイグレーを塗布。乾いた後にグレーを部分的に剥がしている。

《 排気グリル／通気口の塗装 》

実車写真を見ると、エンジングリルは煤や錆で焦げ茶色っぽく汚れている。この段階でのエンジングリルの塗装状態。

①まず、煤汚れを表現するために内部の排気整風板をダークグレーで塗装。ここも各板ごとに色調を変えて塗る。

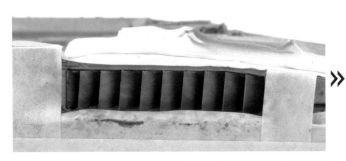 

②周囲に色が付かないようにマスキングする。
③エアブラシを使って、ブラックとレッドを少量混ぜたアモMIG「シェイダー」のライトルスト（A.MIG-0851）を薄く塗布し、錆を表現。

④最後にアモMIG「シェイダー」のアッシュブラック（A.MIG-0858）を薄く塗布し、仕上げた。

⑤車体上面も周囲に色が付かないように通気口をマスキングする。
⑥エアブラシを使って、フラットブラックを塗布。

⑦車体色のIDFシナイグレーでグリルの上面にドライブラシを行なう。

〔工程7〕 戦術マーキングを再現する

《 塗装による再現 》

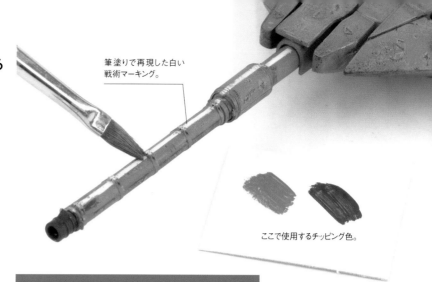

筆塗りで再現した白い
戦術マーキング。

ここで使用するチッピング色。

砲身上面の戦術マーキングは塗装で再現。
①戦術マーキング部分を残し、マスキングする。

②フラットホワイトを塗布する。
③乾いたら、マスキングテープを剥がし、工程3〜4で使用したチッピング色を使って、白帯上にチッピングを施す。

《 デカールによる再現 》

デカールは、アモMIGのデカール軟化定着剤デカールセット（A.MIG-2029）、デカールフィックス（A.MIG-2030）を使って貼った。もちろん、入手容易なタミヤやGSIクレオスの同種製品でOKだ。

④サイドスカート前部の戦術マーキングは、デカールで再現している。

⑤砲身のマーキングと同様に、ここもデカールの上からチッピングを施した。

〔工程 8〕油彩を用いたウォッシング／フィルタリング

各ディテールの周囲やパネルラインに暗色を入れる。

ウォッシングは、ディテールやパネルラインの凹凸を引き立たせ、見た目のボリューム感を出す最良の方法である。
作例では、レンブラントの油彩、セピア、ナチュラルアンバー、オリーブグリーンを使用し、ウォッシングを行なった。
ウォッシングのやり方は、14、37 〜 38、81 〜 82 ページ参照。

ベース色に応じた油彩を使用する。

さらに油彩を使って、フィルタリングを行なうことで、色調の変化付けとともに退色した感じや汚れを加える。ベース色に応じた色を使用し、上部や明るくしたい箇所（ハイライトを入れたところ）には明色を、暗くしたい箇所には暗色の油彩を用いる。

明るくしたい箇所は明色を多めに。

〔工程 9〕積荷などの工作と塗装

《 市販のアクセサリーを使用する 》

手元のストックパーツの中から使用可能な荷物類をピックアップ。
①"B&W"技法を用いて下地塗装を行なう。16 〜 17 ページ参照。

②カーキ、バフ、オリーブグリーンなどの混色で各パーツのベース色を塗装する。

③各パーツに影付け、ハイライト入れを行ない、ストラップなどの細部も塗り分けて仕上げる。

メルカバ戦車の積荷として用意した小物類。こうした小物類にも車体と同様に色調変化、汚しなどを施すことを忘れないように。

《 積荷類を自作する 》

砲塔後部バスケットに引っ掛けるタクティカルパネルは金属板を加工して自作した。

積荷類は、接着前に仮り置きして位置決めしておくこと。接着にはホワイトグルー（点付け）を使用。瞬間接着剤を用いる場合は、接着後の位置変更ができない（塗料が剥がれたり、周りに接着剤が付着することもある）ので慎重に。

キャンバスシートやタープ、固定ベルト類はエポキシパテで自作。エポキシパテを1/35スケールに適した薄さに伸ばし、自作したいシート、タープ、ベルトなどのサイズにカット。乾いたら、他の布製バッグなど同様の塗装方法で仕上げる。作り方と塗装方法は17～18ページを参照。

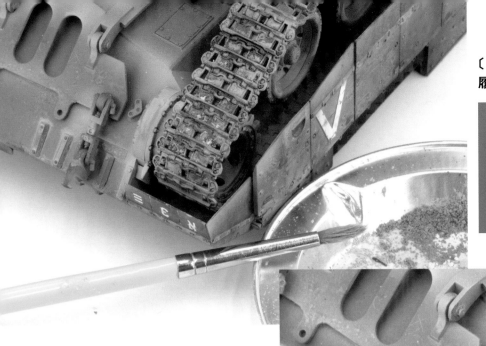

〔工程１０〕
履帯、転輪の砂、土汚れを表現

足周りに付着した砂や土の汚れは、メルカバ戦車の活動地に合わせたものにしなくてはならない。そこで、アモMIGからリリースされている「イスラエル紛争ピグメントコレクション」（A.MIG-7454）を使用。
①同セット内のミドルイーストダスト（A.MIG-3018）、シリアングランド（A.MIG-3025）、ゴランアース（A.MIG-3026）を適度に混ぜ、それを履帯に付けていく。

②ピグメントは、アモMIGのピグメント定着剤ピグメント・フィックサー（A.MIG-3000）を使って、固着させた。
③ピグメントが乾いた後、HB鉛筆で履帯表面の凸部を擦り、摩耗した金属の質感を付加した。

〔工程１１〕 戦車兵フィギュアを作る

戦車兵は、ホビーファン1/35の「イスラエル国防軍 戦車指揮官＆女性兵士（2体）」（品番HF727）の戦車指揮官を使用。

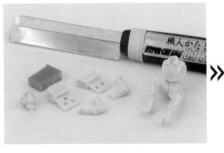

レジン製キットなので、塗装前にパーツ表面に残っている離型剤をきれいに洗い流しておく。

頭部と胴体を別々に塗装する。塗装には、アモMIGの肌色塗料セット「フレッシュトーン・セット」（A.MIG-7168）を使用。
①頭部ベース色としてレッドレザー（AMMO.F-552）＋ウォームスキントーン（AMMO.F-550）を1:1の割合で混ぜ、それに微量のブラックを加えた色を塗布。

②ベースの影色を薄っすらと残しつつ、ウォームスキントーンに少量のレッドレザーを加えた色を塗装。

③ベーシックスキントーン（AMMO.F-549）に②の色を少量加えた色を塗布。

④目を塗り、ベーシックスキントーン＋ライトスキントーン（AMMO.F-548）の混色でハイライトを入れる。

⑤ユニフォーム塗装色に少量のブラックを加えた色でヘッドセットを塗装する。

⑥顔、ヘッドセット部分を完全にマスキング（マスキングパテを使用）し、ダークオリーブグリーン（AMMO.F-503)でヘルメットを塗装した。

⑦ボディ全体のベース色としてダークオリーブグリーンを塗布。

⑧ベースの影色を残しつつ、ダークオリーブグリーンにホワイトとイエローを加えた色を薄く塗布。

⑨さらにホワイトとイエローの割合を増やした色でハイライトを付ける。

⑩さらに色調を明るくした色で最も明るくしたい箇所により強くハイライトを入れた。

⑪手を顔と同様に塗装。ブーツはベース色としてダークブラウンで塗装、同色にレッドブラウンを加えた色でディテールを、ライトブラウンでハイライトを入れた。

⑫塗り終わった胴体に頭部を接着。これで戦車兵は完成。

⑬戦車兵を砲塔に乗せてみた。ジオラマにしなくてもフィギュアをセットするだけで、戦場で活動中の戦車らしく見えてくる。

完成したイスラエル国防軍メルカバ Mk.2D

タコム 1/35 キットは、メルカバ Mk.2D の決定版キットと言っても過言ではない。各部のモールドはシャープ、巧みなパーツ構成でディテールの再現性も高い。さらに組み立て説明書もわかりやすく、パーツの精度が高いために組み立ては容易。誰にでもおすすめできるキットである。

メルカバ戦車は、頻繁に戦闘に投入されているので、チッピングや塗料剥がれ、付着した土や砂など、ウェザリングは強めに施している。

作例では、車体前部や砲塔上面にある滑り止めのモールドを追加してみた。

車体に溜まった砂埃、足周りに付着した砂や土は、イスラエルやその周辺の地勢に合った明るい色調で乾いた感じに仕上げている。

戦車に汚しやウェザリングを施すのはもちろんのこと、車外装備のM2重機関銃やFN MAG機関銃、乗員用のM4カービンなども使い込まれた金属の質感を出している。

メルカバ戦車の車体色は、IDFシナイグレーと呼ばれる独特な色調のイスラエル国防軍基本色である。幸い市場にはアモMIGやGSIクレオスMr.カラーなどからイスラエル戦車塗装色が発売されている。

鳩を見つめるリラックスした乗員、彼の周囲にはM4カービンやGPSに缶コーラ、そして後方にはクーラーボックスなど無数の積荷……。前線において束の間の休息を取る兵士の姿を再現してみた。

実車写真を見ると、長期間前線で活動するIDF車両には、かなりの荷物が積まれている。そこで、市販アクセサリーパーツの小物類や自作したキャンバスシートなどを所狭しと載せてみた。

陸上自衛隊車両の標準迷彩を再現する

TYPE 16
MANEUVER COMBAT VEHICLE

陸上自衛隊
16式機動戦闘車

陸上自衛隊車両には、他国車両には見られない独自の迷彩が施されている。写真で見る陸上自衛隊車両の多くは、割と綺麗な状態のものが多いが、作例は模型的な見栄えを考慮したウェザリングを施している。16式機動戦闘車のような装輪式車両の場合は、装軌式車両とは異なる汚しテクニックも必要となるが、特に目に付く大きなホイールのゴムタイヤの質感をいかに上手く表現するかがポイントとなる。ここで紹介する塗装&ウェザリング技法は、他の自衛隊車両を製作する際にも応用可能だ。

陸上自衛隊 16式機動戦闘車（品番35361）
●タミヤ1/35 ●5280円、発売中 ●プラスチックキット

16式機動戦闘車とは？

現在、陸上自衛隊が保有する戦車は、74式戦車、90式戦車、10式戦車の3車種です。この内、74式戦車は退役が進んでおり、近い将来、陸上自衛隊の主力戦車は90式、10式の両戦車のみとなり、戦車配備数も減少することになっています。退役する74式戦車の配備部隊への代替装甲車両として、さらに縮小される戦車戦力を補充するための重要な戦闘車両として開発されたのが16式機動戦闘車です。

16式機動戦闘車は、直接火力支援と軽戦車及び装甲戦闘車両の撃破などを主任務としており、敵主力戦車との本格的な対戦車戦闘は想定していません。同車両は、戦車ではありませんが、戦車の任務を一部代替し、10式戦車と並行して配備され、将来的には陸上自衛隊の基幹戦力となる予定です。重量は26t未満に抑えられており、航空自衛隊のC-2輸送機での空輸を可能とし、戦略機動性も充分に考慮されています。

16式機動戦闘車の開発は、2007年に始まり、2013年には試作車が初公開され、

2016年に制式名称が決定し、生産が開始されました。16式機動戦闘車は、8×8輪の装輪式で、砲塔には52口径105mmライフル砲を搭載しており、74式戦車と同等あるいはそれ以上の火力を有しています。モジュール装甲を備えた砲塔前部／側面前部および車体前部は、20〜30mm機関砲弾や歩兵携行用対戦車火器に、通常装甲の側面はおそらく14.5mm機銃弾に耐えるものと思われます。車体前部に搭載した570psのディーゼルエンジンと優れたサスペンションにより最大速度100km/h以上の機動性能を有し、路外走行時や主砲発射時の安定性も優れています。

陸上自衛隊では今後、戦車配備数を741両から300両に減少させ、戦車の配備は北海道と九州の作戦部隊および本土の教育部隊のみとし、戦略機動性に優れた16式機動戦闘車を200〜300両量産し、全国的に配備する予定です。

タミヤ1/35 16式機動戦闘車を作る

実車の部隊配備からさほど時間を置かず、2018年にタミヤから1/35のキットがリリースされました。16式機動戦闘車のキットも"2つ星"マークで知られる"タミヤ・クオリティー"で作られており、ディテールの再現度は高く、パーツのフィッティングは完璧、さらに組み立ては容易です。

そのまま組み立てても完成品として充分な仕上がりになるのですが、作例では、DEFモデルのレジン製1/35「陸上自衛隊16式機動戦闘車 自重変形タイヤ」(品番DW35107)、さらにタミヤの1/35「陸上自衛隊16式機動戦闘車 メタル砲身」(品番12686)を使用。また、各部の取っ手や手摺りパーツは銅線を使って作り替え、若干のディテールアップを加えています。

陸上自衛隊車両特有の迷彩を再現

塗装前にアモMIGのアクリルマッドやタミヤの情景テクスチャーペイントなどを混ぜて作成した泥を足周りと車体底面に塗り付けて泥汚れの下地を作っておきます。泥が乾いた後に模型全体にサーフェイサーを塗布し、模型表面をチェック、整形しました。

基本塗装は、タミヤアクリルXF-72、XF-73の陸上自衛隊色を使用。これら2色をベースに明暗色を混ぜ、色調変化を付けながら陸上自衛隊独特の迷彩塗装を再現しています。

基本塗装完了後にチッピングや筋状の汚し、ウォッシング、ダスティングなどのウェザリングを行ない仕上げました。各作業工程ごとの詳細は写真解説をご覧ください。

組み立て／工作のポイント

ライトレンズの塗装

モロトフのリキッドクロームはプラバンなどに取り出し、細筆で塗装する。

ライトの裏側にリキッドクロームを塗る。

クリアパーツのライトの接着には、乾燥後に曇る心配がないアモMIGのウルトラグルー(A.MIG-2031)を使った。

さらにライトらしく見せるためクリアパーツの裏面にモロトフのリキッドクロームを塗った。

市販パーツでディテールアップ

ホイールは、DEFモデルのレジン製1/35「陸上自衛隊16式機動戦闘車 自重変形タイヤ」(品番DW35107)を使用。

レジン製パーツには付き物の余分な出っ張りをカットする。

カット面(ここが接地面になる)は、ペーパー掛けして平に整形。

取っ手を金属線で作り替える

取っ手のような細い小パーツは、リアルさと強度を考え、金属線で作り替えることをおすすめ。作例では、銅線を使っている。

車体後面の取っ手は、キットのパーツC47に合わせて銅線で作製。接着には瞬間接着剤などプラスチックと金属を接着できるものを使用する。

キットは、言わずと知れた"タミヤ・クオリティー"なので、ディテールのモールドは素晴らしく、パーツのフィッティングは完璧で組み立ては容易だ。作例では、同社別売りの1/35「陸上自衛隊16式機動戦闘車 メタル砲身」（品番12686）とDEFモデルのレジン製1/35「陸上自衛隊16式機動戦闘車 自重変形タイヤ」（品番DW35107）も使用。さらに各部の取っ手や手摺りパーツは銅線を使って作り替えた。

塗装前に泥汚れを付けておく

車体下部／底面およびホイールの泥汚れ表現には、リアリティ・イン・スケールの「ドライマッド」を使用（入手容易な類似品の使用で問題ない）した。
ドライマッドにタミヤのXF-72＋XF-57バフを混ぜ合わせ、明るい色の泥を作り、それを車体下部とホイールに塗り付けた。
装輪式車両は、走行時の泥跳ねなどでかなりの泥が付着するので、ここでの汚しは強めに。

塗装とウェザリング

〔工程 1〕塗装前の作業

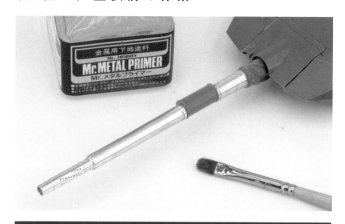

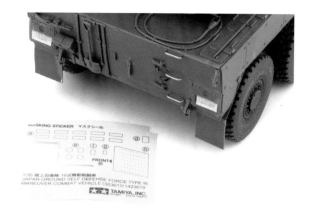

①金属製の砲身部分や銅線で自作した取っ手など金属部分に塗料の食い付きを良くするためのメタルプライマーを塗る。

②キット付属のマスクシールを使って、ライト類に塗料が付かないようにマスキングする。

④サーフェイサーが乾いた後、表面の傷やパーツ間の隙間、ゴミやホコリの付着などをチェック。

⑤ゴミやホコリの付着はペーパー掛けし、きれいに整形。傷や隙間が見られたら、再度パテ埋め／ペーパー掛けで修正する。

③表面の仕上がりをチェックし、なおかつ塗料の食い付きを良くするために模型全体にサーフェイサーを塗布する。

〔工程 2〕ベース色の茶色から塗装する

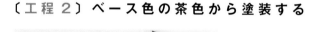

基本塗装にはタミヤのアクリル塗料を使った。茶色と濃緑色の迷彩の場合、色彩が弱い茶色塗装から行なう。
①まず、下地色としてXF-72茶色（陸上自衛隊）にXF-1 フラットブラックを混ぜた暗色をエアブラシで模型全体に吹いた。
ディテールや車体下部、足周りなどの奥まった部分にはしっかりと塗布しておく。

車体にXF-72茶色（陸上自衛隊）を薄く塗布した状態。

砲塔は未塗布。

車体、砲塔ともに最初の茶色塗装を終えた状態。

②エアブラシを使って、溶剤で希釈（80％弱）したタミヤのXF-72茶色（陸上自衛隊）を全体（側面下部および底面は除く）に薄く塗布していく。下地塗装の暗色がパネルラインやディテールの周囲などに薄っすらと残るように吹くのがポイント。

③XF-72に少量のXF-57バフを加えた塗料を車体と砲塔上面の明るくしたい箇所に薄く吹いてハイライトを入れる。

④前作業のXF-72＋XF-57の混色にさらに少量のホワイトを加えた塗料をさらに明るく（ハイライトを強く）したい箇所に塗布した。

〔工程3〕濃緑色の迷彩を施す

①緑色のウォーターカラーペンシル（水彩色鉛筆）を使って、濃緑色の迷彩ラインを描き込んでいく。

迷彩ラインはあくまでもアタリなので、薄く描くこと。

②キット付属のカラー塗装図を見ながら、迷彩ラインを描き込んだ。
迷彩ラインに使うウォーターカラーペンシルは、使用する塗料と同じ色かそれより薄い色（明るい色）のものを使用すること。

迷彩ラインに沿って塗料を細吹する。

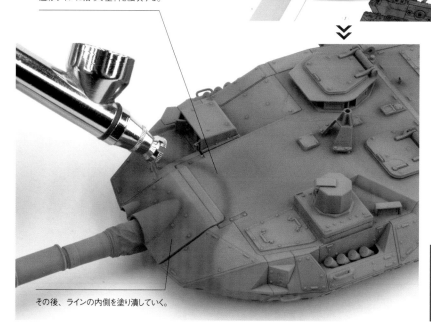

③エアブラシを用い、迷彩ラインに沿って、溶剤で希釈したXF-73濃緑色（陸上自衛隊）を細吹きする。
④迷彩ラインを塗布した後、その内側にXF-73を吹き、濃緑色迷彩部分を塗装していく。

その後、ラインの内側を塗り潰していく。

⑤迷彩ラインの内側を完全にXF-73で塗り潰した状態。ウォーターカラーペンシルのアタリ跡が残っているが、水拭きで消すことができるので心配無用。

⑥濃緑色の塗装を終えた状態。茶色部分には明暗色調変化が入っているが、濃緑色の部分は最初の塗装を終えたままの状態。これから濃緑色部分にも色調変化を付けていく。

⑦XF-73濃緑色（陸上自衛隊）に少量のホワイトを加え、少しだけ色調を明るくした塗料をエアブラシで薄く吹き、濃緑色塗装箇所にハイライトを入れる。

〔工程 4〕筆塗りによる細かなハイライト表現

①XF-73濃緑色（陸上自衛隊）に
ホワイトを加えた色（前作業のハイ
ライト色よりも明るい色）を細筆に
付け、濃緑色塗装箇所のディテール
にハイライトを細かく入れていく。

濃緑色塗装箇所の各ディテールに最も明る
いハイライト色を入れた状態。この段階では、
明暗のコントラストが強く見えるが、後のウェ
ザリングにより色調が変わるので問題はない。

②茶色塗装箇所も同様にハイ
ライトを追加する。XF-72茶色
（陸上自衛隊）にホワイトを加え
た色（前作業のハイライト色より
も明色）を細筆に付け、ディテー
ルにハイライトを入れる。

基本塗装を終えた状態

茶色／濃緑色を用いた
2色迷彩の基本塗装は
これで完了。
この後は、細部塗装、
そしてウェザリングへと
作業を移していく。

〔工程 5〕 筋状の汚れを表現する

タミヤのXF-74 OD色（陸上自衛隊）に少量のXF-1フラットブラックを混ぜ、溶剤で充分に希釈した塗料をエアブラシで薄く細吹きして、砲塔と車体の側面に縦筋状の汚しを加えた。

〔工程 6〕 排気グリルの煤汚れを表現

>>

②エアブラシ
を使って、充
分に希釈した
アモMIGの
RAL7021ドゥ
ンケルグラウ
（A.MIG-008）
を薄く排気グリ
ルに吹く。

①車体右側の排気グリルの周囲をマスキングし、周囲
に塗料が付かないようにしておく。

煤を模したフラットブラックを薄く吹く。

③さらに溶剤で希釈したXF-1 フラットブラックをランダムに薄く塗布する。

④RAL7021ドゥンケルグラウに少しホワイトを混ぜた塗料を平筆に付け、ドライブラシを行なった。

〔工程 7〕細部を塗装する

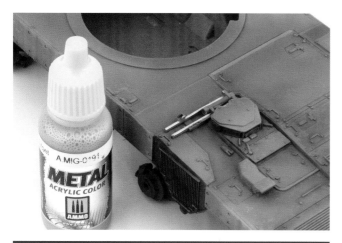

操縦手用ハッチ・スライドレールの上部をアモMIGのスチール（A.MIG-0191）で塗り、擦れてポリッシュされた感じを表現。

車体側面下部にある車幅灯は、タミヤのX-6オレンジで塗装した。

〔工程 8〕チッピングを施す

①アモMIG「ドライブラシ・ペイント」のチッピング（A.MIG-0618）を平筆に付け、ドライブラシによってディテールや突起物のエッジなどにチッピング（塗料の剥がれ跡）を入れる。

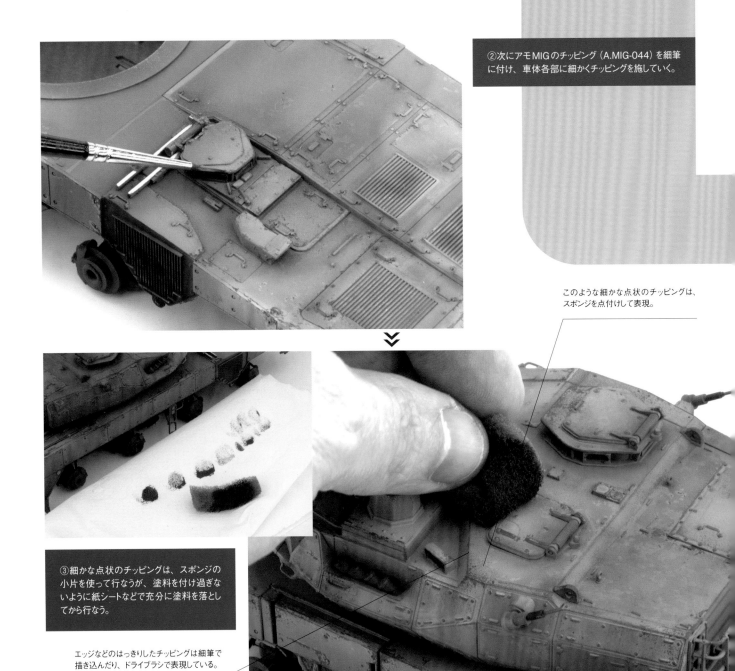

②次にアモMIGのチッピング（A.MIG-044）を細筆に付け、車体各部に細かくチッピングを施していく。

このような細かな点状のチッピングは、スポンジを点付けして表現。

③細かな点状のチッピングは、スポンジの小片を使って行なうが、塗料を付け過ぎないように紙シートなどで充分に塗料を落としてから行なう。

エッジなどのはっきりしたチッピングは細筆で描き込んだり、ドライブラシで表現している。

〔工程9〕ディテールにハイライトを追加する

ボルトやヒンジ、小突起物の上面に明色を入れる。

①ベース色よりも明るくした塗料を細筆に付け、濃緑色塗装箇所のディテールにハイライトを追加する。

②同様に、茶色塗装箇所にもベース色よりも明るく調色した塗料をピンポイントで入れ、ディテールにハイライトを追加した。

この後のウェザリング作業において模型表面の塗料の色落ちなど防ぐために、この段階でアモMIGのラッキーバーニッシュ・サテン（A.MIG-2052）を模型全体に塗布し、塗装面を保護しておく。

〔工程10〕ウォッシングを行なう

①アモMIG「アクリルフィルター」のミリタリーグリーン（A.MIG-0813）と「アクリルウォッシュ」のダークウォッシュ（A.MIG-0708）を使って、ディテールの周囲や凹み箇所、パネルラインにウォッシング（スミ入れ）を行なう。

≫

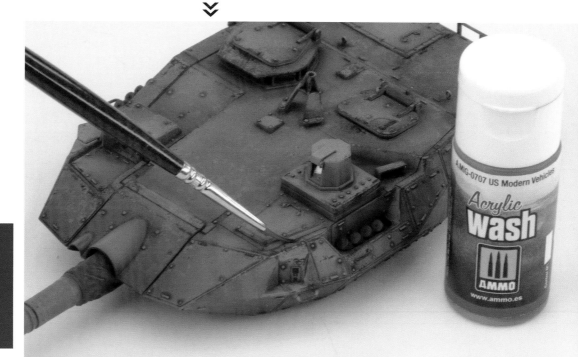

②ウォッシングは、ベース色や明暗色調の違いよって、色を変えて行なう。写真のように茶色塗装箇所には「アクリルウォッシュ」のUSモダンビークルス（A.MIG-0707）を使った。

③車体前部にある通気グリルの凹部は暗い色調にするために、平筆で「アクリルウォッシュ」のダークウォッシュをスミ入れする。

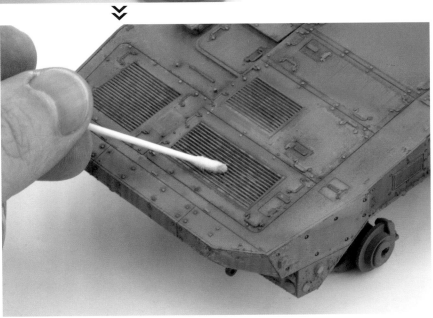

④通気グリルのスミ入れが半乾きになったら、綿棒を使ってグリル表面(凸部)の余分な塗料を拭き取る。この際、上から下(奥から手前)に拭き取ることで、筋状の汚れを薄っすらと残すことができる。

ウォッシングを終えた状態

ウォッシングによって、凹凸がある箇所やディテールの周囲、パネルラインなどにスミ色が入り、ディテールを強調。さらに薄っすらとした汚しも付加される。

〔工程11〕デカールを貼り付ける

マーキング再現にフォックスモデルの1/35「16式機動戦闘車デカールセット〔1〕」（品番D035025）を使用した。

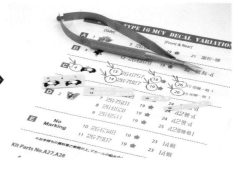

① 使用するデカールを選び、シートから切り出す。
② さらに細かく切り分け、余白部分も慎重にカット。

③シルバリング防止のため、デカールを貼り付ける箇所にシンナーで希釈したグロスバーニッシュ（タミヤのX-22やGSIクレオスMr.カラーのC46など）を吹いておく。

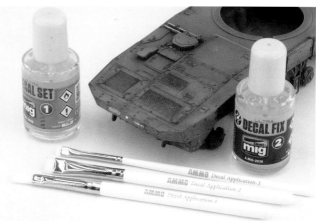

④デカールを貼る際には、デカール定着剤を使って、密着させる。作例では、アモMIGのデカール定着剤を使っているが、タミヤやGSIクレオスの同種製品で構わない。

〔工程12〕ホイールの塗装

接地面のトレッド部分は、凹凸の陰影を残しつつ、バフをしっかりと塗布。

側面は、バフを極薄く吹き、さらに同色で凸部を軽くドライブラシ。

この段階では、タイヤはまだ下地塗装のまま、ハブ部分は車体とともに濃緑色と茶色で塗装済み。
①溶剤で充分に希釈したタミヤのXF-57バフをホイール側面に極薄く吹き、接地面にはしっかりと塗布。

②車体色のホイールハブに色が付かないようにマスキングする。こういった円状で凹凸がある箇所のマスキングには、アモMIGのカモフラージュ・マスキングパテ（A.MIG-8012）が便利。

③溶剤で充分に希釈したタミヤのXF-1フラットブラックをエアブラシで細吹きし、タイヤ側面に放射線状の汚しを入れる。

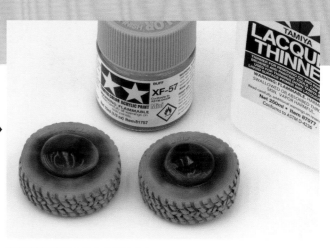

④溶剤で希釈したXF-57バフを外周付近に薄く塗布する。

⑤アモMIGの「ドライブラシ・ペイント」パンツァーグレー（A.MIG-0604）を使って、タイヤ側面と接地面のトレッドパターン表面をドライブラシする。

ここまでの塗装。マスキングパテを取り除くと、こんな感じに。

⑥アモMIG「エナメルウォッシュ」のスターシップ・ウォッシュ（A.MIG-1009）を使って、ホイールハブ部分をウォッシング。ハブカバー周囲の汚れを表現するとともにボルトなどのディテールを引き立たせる。

〔工程13〕車体下部と足周りの汚しを行なう

①タミヤのXF-78デッキタン＋XF-2フラットホワイトの混色を溶剤で希釈し、エアブラシを使って、車体下部の泥汚れ部分に吹き付ける。塗装前に施した泥汚れの下地部分は特にしっかりと塗布すること。

②同じ塗料を用い、エアブラシで薄く細吹きし、車体側面に流れ落ちた筋状の砂、土汚れも表現していく。

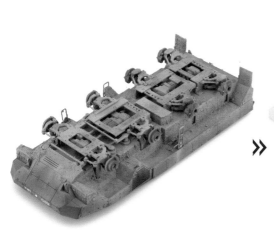

塗装により汚しを行なった車体下部。この後にさらに立体的な汚しを加えていく。

アモMIG「モデリングピグメント」のロシアンアース（A.MIG-3014）、ファームダークアース（A.MIG-3027）、ヨーロッパアース（A.MIG-3004）、ライトダスト（A.MIG-3002）を使って、こびり付いた土や泥を表現する。
③各色のピグメントを適度に混ぜ、細めの平筆を用い、汚れを表現したい箇所にそれらを付けていく。

④ピグメントの固着にはタミヤのX-20A溶剤を使用。細筆に溶剤を浸し、ピグメントの上に垂らして固着させている。
汚す場所、表現したい土や泥の質感によってピグメントの色を変えること。明色を用いると乾いた土、暗色を使えば、付着して間もない土や湿った土、泥が表現できる。

付着したばかりの新しい泥汚れ（湿った泥）は暗色で。

乾いた泥汚れは明色で表現。

〔工程１４〕車体上部にも汚しを付加

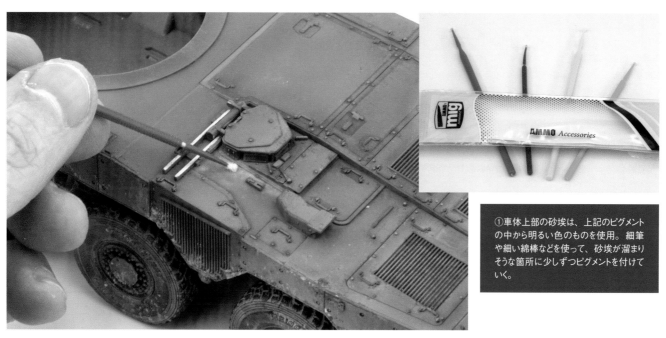

①車体上部の砂埃は、上記のピグメントの中から明るい色のものを使用。細筆や細い綿棒などを使って、砂埃が溜まりそうな箇所に少しずつピグメントを付けていく。

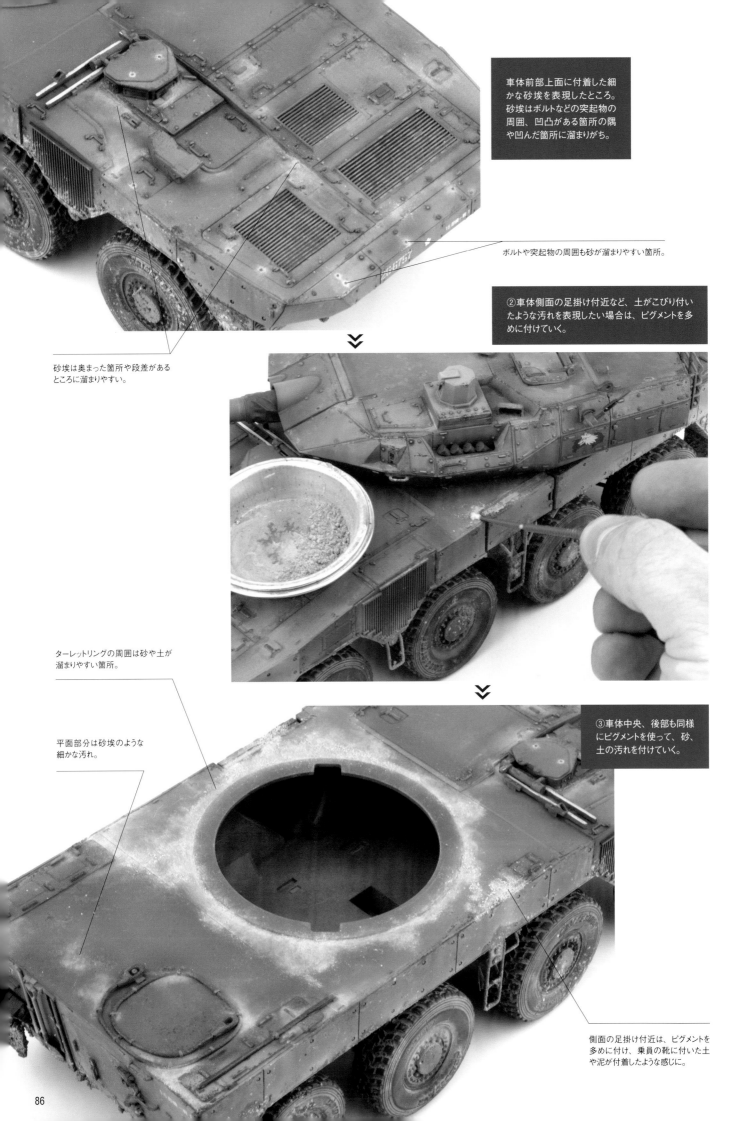

車体前部上面に付着した細かな砂埃を表現したところ。砂埃はボルトなどの突起物の周囲、凹凸がある箇所の隅や凹んだ箇所に溜まりがち。

ボルトや突起物の周囲も砂が溜まりやすい箇所。

砂埃は奥まった箇所や段差があるところに溜まりやすい。

②車体側面の足掛け付近など、土がこびり付いたような汚れを表現したい場合は、ピグメントを多めに付けていく。

ターレットリングの周囲は砂や土が溜まりやすい箇所。

平面部分は砂埃のような細かな汚れ。

③車体中央、後部も同様にピグメントを使って、砂、土の汚れを付けていく。

側面の足掛け付近は、ピグメントを多めに付け、乗員の靴に付いた土や泥が付着したような感じに。

④ピグメントの固着にはタミヤのX-20A溶剤を使用。細筆に溶剤を浸し、ピグメントの上に垂らして固着させている。

〔工程15〕その他の汚れを表現していく

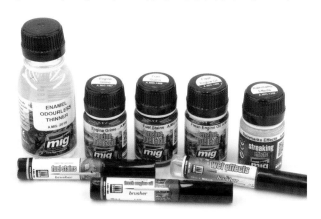

この過程で使用したアモMIGのウェザリング用エナメル塗料「エンジン、フューエル＆オイル」、「ストレーキングエフェクト」と「エフェクトブラッシャー」各色。

①「エフェクトブラッシャー」のフレッシュ・エンジンオイル（A.MIG-1800）を使って、ターレットリング周辺および側面点検パネルにオイルの滲み汚れを表現。

②車体側面の流れ落ちた筋状の汚れは、「エフェクトブラッシャー」のフューエルステイン（A.MIG-1801）を使用。

③「エフェクトブラッシャー」のウェットエフェクト（A.MIG-1802）を使って、車体後部上面に染み跡を表現。

④砲塔後部上面には、「ストレーキングエフェクト」のレインマークエフェクト（A.MIG-1208）を使って、雨で砂埃が流れ落ちた汚れ跡を表現した。

完成した陸上自衛隊 16 式機動戦闘車

16式機動戦闘車の1/35キットは、作例で使用したタミヤ製品のみ。キットは"タミヤ・クオリティー"で作られており、出来は申し分なし。

ホイールは、DEFモデルのレジン製1/35「陸上自衛隊16式機動戦闘車 自重変形タイヤ」(品番DW35107)に変更。このパーツは、品名の通り、車重によって凹んだゴムタイヤの接地面がリアルに再現されている。またレジン製なので、塗装やウェザリングを施すのも容易である。

一般に陸上自衛隊車両は、整備、洗車が行き届いており、普段からあまり大きな汚れは見られないが、作例は模型的な見栄えを優先して、戦場さながらのウェザリングを行なって仕上げている。

車体前部上面は、走行中に跳ね上げた砂埃によって、汚れた感じを出している。

操縦手用ハッチ・スライドレールは金属が擦れた光沢感、排気グリルには煤汚れを表現。足掛けには、乗員の靴に付着した砂や土による汚れを加えた。

16式機動戦闘車のような装輪式車両の塗装＆ウェザリングでは、ホイールの土や泥汚れとともにゴムタイヤの質感をいかに上手く表現するかが重要なポイントとなる。

塗装は、タミヤアクリル塗料の
XF-72茶色（陸上自衛隊）と
XF-73濃緑色（陸上自衛隊色）
をベースに、明暗色調変化を付
けながら陸上自衛隊独特の2色
迷彩を再現した。

チッピングやウォッシング、ダス
ティング、さらに砂埃や錆、汚
れ滲みの跡など、かなり強めの
ウェザリングを施している。

デカールによるマーキング類は、艶
や汚れ具合を車体と均一にする。
各車載工具にも車体同様にウェザ
リングを施すのを忘れずに。

"MODERN TANKS of The World"
ホセ・ルイス作品ギャラリー

フランス陸軍戦車 ルクレール

フランス主力戦車ルクレール（品番不明）
●ガソリーヌ1/48　●価格不明　●レジンキット

作例は、日本ではあまり知られていないが、ヨーロッパではファンが多い模型メーカー、ガソリーヌが発売している1/48レジン製キットを製作。同キットの出来は非常に良く、作例では、モールドの追加と取っ手類を銅線で作り替えたのみ。

塗装は、コソボやレバノンなどでUN（平和維持軍）車両として活動する全面ホワイト塗装の車両を再現。この塗装にも筆者自身が考案した塗装テクニック"B&W"を使っている。

全面ホワイトというのは、上手く再現するのが難しい塗装の一つ。UN塗装なので、冬季迷彩車両のような過度の汚しはできない。それゆえ、シェーディングやウォッシング、フィルタリングなどを行ない、色調の変化付けとともに各部のディテールや複雑な形状をいかに引き立たせる塗装をするかがポイントとなる。

砲塔後部の積荷は、1/48アクセサリーセットの小物パーツとエポキシパテで自作したキャンバスシートなどを載せている。全面ホワイトという単調になりがちな塗装なので、こうした小物は良いアクセントになる。

車体下部、足周りの汚しは控えめに。車体には舞い上がる砂埃や土汚れ、履帯には付着した砂や土を表現している。

陸上自衛隊 10式戦車

陸上自衛隊 10式戦車（品番35329）
●タミヤ1/35 ●5060円、発売中 ●プラスチックキット

言わずと知れたタミヤの1/35傑作キット。
そのまま組めば、素晴らしい完成品が出
来上がる。作例は、一体成型モールド
の取っ手のみ銅線で作り替えている。

陸自車両標準の2色迷彩は、
"B&W"技法による下地塗装を
行なった後、タミヤのXF-72、
XF-73をベース色とし、明暗色
調を変えながら塗装。

作例は、2色迷彩の上に部分的にフラッ
トホワイトを塗布した冬季迷彩としてい
る。油彩を使って、ウォッシングやフィ
ルタリングなどを行ない、汚しを表現。

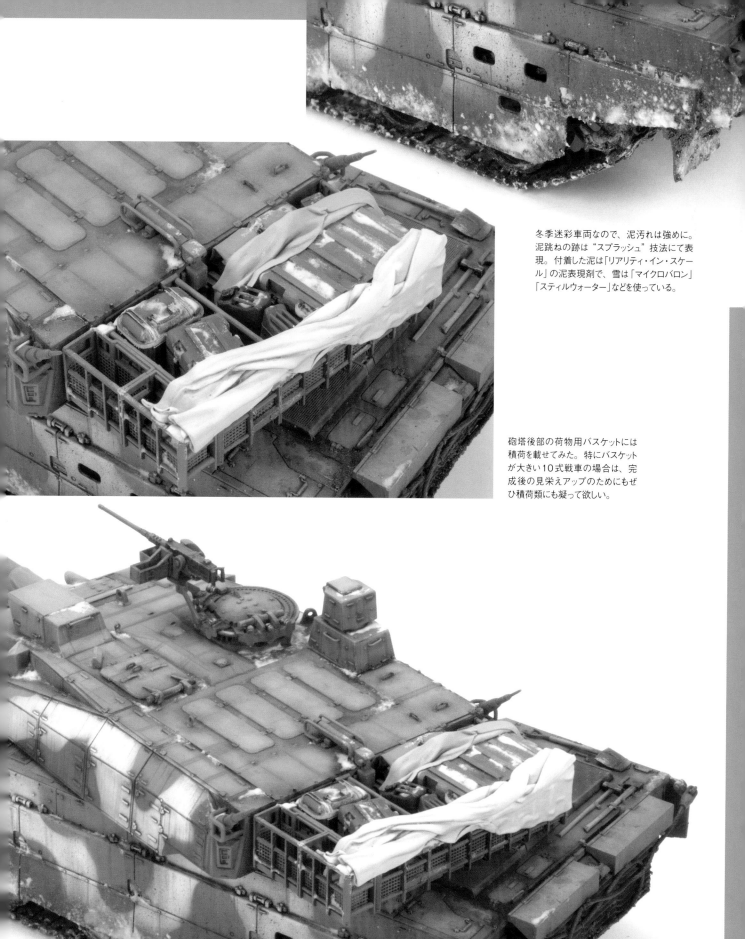

冬季迷彩車両なので、泥汚れは強めに。泥跳ねの跡は"スプラッシュ"技法にて表現。付着した泥は「リアリティ・イン・スケール」の泥表現剤で、雪は「マイクロバロン」「スティルウォーター」などを使っている。

砲塔後部の荷物用バスケットには積荷を載せてみた。特にバスケットが大きい10式戦車の場合は、完成後の見栄えアップのためにもぜひ積荷類にも凝って欲しい。

ホセ・ルイスの
戦車模型の作り方
Part 3 現用戦車

編集　　望月隆一
　　　　塩飽昌嗣

デザイン　今西スグル
　　　　〔株式会社リパブリック〕

2023年1月7日　初版発行
発行人　松下大介
発行所　株式会社ホビージャパン
〒151-0053　東京都渋谷区代々木2丁目15番8号
Tel.03-5304-7601（編集）
Tel.03-5304-9112（営業）
URL; https://hobbyjapan.co.jp/
印刷所　大日本印刷株式会社

Publisher/Hobby Japan.
Yoyogi 2-15-8, Shibuya-ku, Tokyo 151-0053 Japan
Phone +81-3-5304-7601　+81-3-5304-9112

《模型製作・解説》ホセ＝ルイス・ロペス＝ルイス
Modelling & Description by Jose Luis Lopez Ruiz